# 私が日本に住み続ける15の理由

ケント・ギルバート
Kent Sidney Gilbert

白秋社

# プロローグ――日本の最大の魅力は「日本人」

日本にいると「日本のどんなところが好きですか？」と聞かれることがよくあります。美味しい食べ物や住みやすさ、四季折々の風景や清潔な環境など、日本の好きなところを挙げたらキリがありません。

ただ、あれこれ考えてみた結果、どうやら私は、「日本人」が一番好きだという結論に達しました。言い換えれば、日本人の国民性こそが、日本の最大の魅力だと考えています。

では、私が好きな日本人の美点とは？　以下のような特長を挙げることができます。誠実、正直、律儀《りちぎ》、努力家、親切、協調性がある、謙虚、礼儀正しい、我慢強い、潔い、内省的、恥を知る、几帳面《きちょうめん》、丁寧、おもてなしの心がある、時間を守る、約束を守る、裏切らない、争いを好まない、他人に迷惑をかけない、空気を読む、清潔好き……など。私はそんな日本人が大好きです。

日本人の国民性は世界に誇るべきものです。

第9章で詳しく触れますが、二〇一四年にブラジルで開催されたサッカーFIFAワールドカップでは、試合後に日本人サポーターが観客席のゴミを拾い、その模様が海外メディアで報道されると、世界が驚きました。これは日本人の国民性を表す象徴的なエピソードです。

それから日本人の交通マナー。日本人の大半は驚くほど周りに気を遣って安全運転をしています。

私が日本で運転するようになって驚いたのは、ほかの車に道を譲ったときのこと。運転席で手を上げて感謝の合図をしてくるだけでなく、なかにはペコリと頭まで下げてくる人もいます。初めてそんな場面に遭遇したときは、日本人はどこまで礼儀正しいのかと、とても感動したことを覚えています。

車線を譲ってもらってから、ハザードランプを五回くらい点滅させて感謝を表すこともあります。あるいは、ハイビームをチラッと光らせて、対向車を先に行かせることもあります。これらはアメリカでは見ない光景です。

また、歩行者のマナーも素晴らしいの一言。あるとき、信号がない横断歩道で横断待ちをする子供がいたので、私は車を止め、先に渡りなさいと手で合図を送りました。すると、その子供はニコリと笑うと、深く頭を下げてから横断していったのです。とても心が温かくなりました。

ある韓国のアイドルが来日したときにも、やはり日本人の交通マナーに感動したのだそうです。歩行者は赤信号で道路を横断しない。たとえ車が来ていなくても、信号が青になるまで待つ。待たないと、周りの目が本当に厳しい。それが日本の交通マナーです。

この韓国のアイドルは、そんな日本人の姿に感動して、韓国でも普及させようと思い立ちました。そして、SNSで交通マナーの向上を呼びかけました。しかし、その情報はまったく拡散されず、結局は、すぐに諦《あきら》めてしまったのだそうです。

そんな韓国人といえば、先述のようにワールドカップで日本人サポーターが世界から称賛されたことを受けて、ゴミ拾いを真似《まね》したそうです。しかし、動機が不純だったからか、メディアに報道されることもなく、長くは続かなかったといいます。

日本人のようになりたくてもなれない——これは韓国人に限ったことではありません。世界から見ると、日本人は特別な人たちなのです。そして私は、そんな日本人を、心から愛しています。

さらに例を挙げましょう。東日本大震災が発生したときにとった日本人の行動も素晴らしかった。発生直後、東京都内ではすべての電車が止まりましたが、駅で運転再開を待つ人たちは、ほかの人が通れるスペースを空けて階段に座り、運転再開まで大人しく待っていました。こうした日本人の振る舞いが世界中のメディアで報じられ、やはり世界は驚きました。

その二〇一一年三月一一日、私は講演会のため、群馬県高崎市に出かけていました。しかし地震の発生によって講演会は中止となり、車で東京に戻ることになった。すると途中、通行止めになっている道があり、遠回りを強《し》いられました。そうして埼玉県大宮市に入ったのは、夜中の一二時を過ぎたころでした。

地震発生直後は、首都圏の電車は止まり、五〇〇万人を超える人々が帰宅困難者となりました。そのなかには、都内から家まで歩いて帰ることを選んだ人もいました。実際、私が大宮市に入ったときには、サラリーマンやＯＬがゾロゾロと道路を歩いていました。まだ帰宅途中だったのです。

渋滞でほとんど車が動かなかったこともあり、私は彼らを眺めていました。すると、二四時間営業のコンビニや牛丼店には、長い行列ができていました。お腹が空いたから夜食でも食べるのかな、そう思いきや、実はトイレを借りていたのです。

私はその光景を見てビックリしました。彼らは整然と列に並び、また店員も文句をいわず、率先してトイレの場所を案内していました。「トイレをご自由にお使いください」と貼り紙をしている店すらあったほどです。

素晴らしかったのは、最も大きな被害を受けた東北の人たちも同様です。家を失った被災者は避難所で耐えました。お互いに水や食べ物を分け合い、ボランティアが被災者に食事を渡すと一部を返してきて、「あなたも疲れているでしょう、食べてください」という人までいたそうです。こうした被災者の姿もまた、海外メディアで取り上げられ、やはり世界は驚きました。

また、救助や捜索、復旧活動を命じられた自衛隊員は、必死でその任務に取り組み、そのひたむきな姿は、住民たちの感謝と尊敬を集めました。

駅でも街中でも、そして東北の被災地でも、文句をいったり暴れたりする人はいませんでした。

二〇〇五年に私の祖国アメリカを襲った超大型ハリケーン「カトリーナ」――この被災時には、多くの店舗が略奪に遭いました。しかし、東北では略奪はほぼ皆無。苦境に立たされたときはじっと耐える、みんなで協力して一つになって対応する、それが日本人なのです。

二〇一五年八月一四日、安倍晋三《あべしんぞう》総理は「戦後七〇年談話」を発表。「我が国は、自由、民主主義、人権といった基本的価値を揺るぎないものとして堅持し、その価値を共有する国々と手を携えて、『積極的平和主義』の旗を高く掲げ、世界の平和と繁栄にこれまで以上に貢献してまいります」と語りました。

この談話を受けて、アメリカ国家安全保障会議（NSC）が公表した声明のなかで、当時のネッド・プライス報道官は、「戦後七〇年間の日本は、世界各国にとってのお手本である」と述べました。私もその通りだと思います。

ただ、一つだけプライス報道官と認識が違うのは、日本人が素晴らしいのは「戦後」に限ったことではないということ。日本人は戦前から現在に至るまで、ずっとずっと世界にとってのお手本だったのです。

しかし、こうした日本人の国民性が、外交や安全保障の分野でマイナスに働いているのも事実です。

かつて、第二次世界大戦に勝利すると、日本を占領した連合国軍最高司令官総司令部（GHQ）は『ウォー・ギルト・インフォメーション・プログラム（WGIP）』を実行しましたが、これも日本人の精神に悪影響を与えました。

このWGIPは日本占領政策の一つで、戦争に対する贖罪《しょくざい》意識を日本人の心に植え付けるためのもの。教育やメディアを通して日本人を洗脳していきました。結果、真面目《まじめ》な日本人の多くは、いまでもWGIPの影響から、「日本は悪い国だった」と考えています。しかし、そろそろ目覚めなくてはなりません。

だからこそ、本書はこれまでの著書とは視点を変えて、なぜ私は今日も日本に住み続けているのか、なぜ私は日本に魅了されているのか、その理由を語り、日本の人々の覚醒《かくせい》を促したいと思います。

誰よりも日本を愛しているアメリカ人の私が断言します。日本人の皆さん、日本は世界一の国です。そして、あなたたちは世界一の民族です。

すべての日本人の方々が改めて母国の魅力を認識し、自信と誇りを取り戻して、この素晴らしい国柄《くにがら》、文化や伝統を、後世につないでいってほしい。本書がその一助となれば、筆者としては幸甚《こうじん》の至りです。

二〇二〇年一月

ケント・ギルバート

# 目次❖私が日本に住み続ける15の理由

## 第2章 将来的に世界の文化の中心になる国だから



## 第3章 世界に誇る多様なエンタメがあるから

## 第4章 アメリカが失った自由があるから



## 第5章 間違いなく世界一の食があるから

## 第6章　都会の近くに海と山の美しい自然があるから

## 第9章　日本人が世界一の道徳心を持っているから

## 第10章　子供が一人で電車に乗れるほど治安が良いから



## 第11章　貧富の差が極端に少ない社会だから

## 第12章 アメリカが失った公の精神があるから

# 私が日本に住み続ける15の理由

# 第1章　日本人が不思議な親切心を持っているから

## ❊日米がパートナーになった背景

一九七〇年にアメリカのユタ州にあるブリガムヤング大学に入学した私は、一年間の大学生活を送ったあと休学し、日本に渡ることになりました。

アメリカはキリスト教国家です。一部の移民などを除けば、大半の国民は教会に属しています。私は末日聖徒イエス・キリスト教会に所属しています。そして私たちの教会では、青年時代に、宣教師として国内もしくは海外に、二年間の布教の旅に出ることになっています。

私もその一員として日本に派遣されることになりました。日本行きが決まったときの感想は「ふ〜ん、日本か」というだけのもの……何しろ当時の私は、日本のことなど何も知らなかったのですから。そこで日本に滞在した経験がある父の知人に会い、日本についての話を聞きました。

すると彼は、まず私にこういいました。

「日本人はとにかく優しくて、とても親切だ」

のちに日本に来て、すぐにこの言葉が事実であることが分かりました。

続けて彼は、「日本とアメリカは何もかもが違う、すべて逆だ」ともいいました。

確かに来日してみると、日本とアメリカは大違いでした。たとえば、書籍は日本では一般的に縦書きですが、アメリカでは横書きです。電気のスイッチは、日本では左右に、アメリカでは上下に動かして、オンとオフを切り替えます。ノコギリは日本では引いて切りますが、アメリカでは押して切るし、救急車を呼ぶときは日本では「119」ですが、アメリカでは「911」。それから自動車は日本では左側通行なのに対し、アメリカでは右側通行です。

とにかく日米はまったく違う。まるで鏡に映したように対称をなしているのです。

自分が慣れ親しんだ物やルールが異なる国で生活することは、人によってはストレスを感じる原因になるのかもしれません。しかし、父の知人は大切なことを教えてくれました。「すべてにおいてリスペクトすることが大切だ、違いを楽しめ」といってくれたのです。

この言葉は日本への派遣が決まり、多少の不安を感じていた私に、大きな勇気を与えてくれました。そして、あらかじめ「日本とアメリカは何もかもが違う」と聞いていたため、文化や習慣の差に直面しても、それがストレスになることはありませんでした。

自国と他国の違いに直面しても相手がおかしいと思うべきではない――これは私の持論です。「おかしい」ではなく「不思議」と思うべきなのです。

「おかしい」には否定的な感情があります。が、「不思議」ならば、「どうして、そうなのだろう?」と、好奇心が生まれることになります。だから私は、「日米の違いを楽しもう」と、ワクワクしながら来日したのでした。

それから五〇年近く経ったいまもなお、日米の違いを新たに発見するたびに、やはりワクワクしています。だから日本暮らしはやめられない、ともいえましょう。

戦後、日本とアメリカが、かつての戦いを忘れたかのように互いに接近し、それぞれがかけがえのないパートナーになったのは、自分たちにないものに惹《ひ》かれるという、人間の本性に基づくものだったような気がします。

## ＊日本語学校が教えなかったこと

日本に向かう直前の一九七一年一〇月、私はまずハワイに寄りました。目的は語学研修です。

ハワイでは二ヵ月にわたって日本語学校に通い、朝の七時半から夜の九時半まで、毎日みっちり日本語を学びました。だから来日したときには、ある程度は日本語が話せるようになっていました。

ただ、聞き取り能力は低いままでした。ハワイから東京に向かう飛行機のなかで日本語の機内アナウンスを聞いたときには、何をいっているのかまったく聞き取れず、慌《あわ》てたことを覚えています。

というのも、日本語学校では、平仮名とカタカナを教えてくれましたが、教科書などは基本的にローマ字で書かれていました。毎日、話すトレーニングばかりしていて、聞き取る訓練をほとんどしていなかったのです。ただ、実際に日本にやってきて、日本人とやりとりするうちに、すぐにその能力は向上していきました。

それから日本語学校では、スライド写真を使ったり、ゲストスピーカーを呼んだりして、日本の風物、文化、生活様式から、歌舞伎《かぶき》や能などの伝統芸能に至るまで、実に様々なことを教えてくれました。しかし、いま振り返ると、最も大切なことが欠けていたように思います。それは、日本特有の「義理」や「人情」、あるいは「恩」といった、日本人が最も大切にしている精神です。

まさに日本という異国の地へ向かおうとしているそのときの私にとっては、能や歌舞伎など目で見える文化よりも、こうした精神的な部分を知ることが大切だったはず。これを知らなかったばかりに、私は日本に来てからしばらくのあいだ日本人の物の考え方に驚き、時には躊躇《ためら》いを覚えることもありました。それに、かなり無礼なことをして、迷惑をかけることがたびたびあったと思います。思い出したくないので、ほとんど忘れていますが。

さて、日本人と接してまず感じたのは、この国の人は大人しいということ。街を歩いていると、酔っ払いや子供から「外人だ」と指を差されることはあっても、話しかけられることは滅多《めった》にありませんでした。だから最初は、「日本人は冷たい人たちなのではないか」とさえ感じました。しかし、それは大きな間違いでした。その国民性を理解するようになると、実は日本人ほど温かい人たちはいないと考えるようになったのです。

日本人は外国人が苦手で嫌い……そんなことはありません。確かに北海道の土地を買い漁《あさ》っている外国人や、生活保護を不正受給している外国人に対し怒りを抱いている日本人はいます。しかし、一般の外国人に嫌悪感《けんおかん》を抱いている日本人は少ないでしょう。

ただ当時の日本には、英語を話せる人が極めて少なかった。まだ欧米人も留学生もほとんどいない時代でした。実際、そのころ地方都市に住んでいた日本の知人は、青春時代にロックに夢中だったそうなのですが、以下のように語っています。

「中学のころにラジオで流れたビートルズの曲に衝撃を受けて、ずっとレコードを聴いていました。でも、映像で動くビートルズを観たのは、大学生になって上京してから。ビートルズの映画のリバイバル上映を映画館に観にいったときです。なんだか嬉しくて、内容なんてほとんど覚えていませんが、そのときは涙を流しながら観ていましたよ」

それほど外国人を目にする機会は少なかったのです。だから私が街を歩いていても、大半の日本人は私に話しかけようとはしませんでした。「外国人コンプレックス」もあったでしょう。いまは、小・中・高等学校には必ず外国人の英語教師がいます。それによって英語を話す能力がどれだけ上がったのかは怪しいのですが、少なくとも、日常的に外国人に触れることで外国人コンプレックスはなくなったように感じます。

現在は、テレビをつけると外国人やハーフのタレントが必ず出ています。私が街を歩いていても、見向きもされないようになりました。これは、どんな田舎に行っても同じです。英語で話しかけられたら逃げる人はいますが、それは差別が原因ではなく、親切さによるものでしょう。質問されて答えられなかったら失礼だと思い、迷惑をかけるよりも最初から接触を避けたほうが親切だと考えているのかもしれません。

世話好きの人だったら、自分が答えられない場合、代わりに周りの人に聞いたりして、いつの間にか何人もの人を巻き込み、大事になることもあります。

また道順を尋ねると、そのまま手を引くようにして案内してくれる人たちが多く、その親切心には本当に驚きます。次の項でとても素敵な話を紹介しますが、その前に一つ。

かつて道順を尋ねたとき、ある日本の方が近所中の人たちに、大声で「ケント・ギルバートを○○さんの家に案内しているのよ。ほら、見て！」と宣伝しながら目的地に誘導してくれました。ただでさえ、男というものは道順を尋ねることに強い抵抗を感じるのに、凄く恥ずかしかった思い出があります。そういうことで、私はそれ以来、人に道順を尋ねることを躊躇《ちゅうちょ》するようになりました。幸いにして、現在は自動車のナビに救われていますが。

## ✻アメリカ人と日本人の親切の違い

日本人はマナーを大切にします。日本人同士でも、いきなり他人にぺちゃくちゃと話しかけることは失礼に当たります。一方のアメリカでは「Hi! I'm Kent.」などと名乗り、飛行機や電車で隣の席になった人に話しかけて、そのまま仲良くなることも多い。これは国民性の違いなのだと思います。

たとえば大きな荷物を持ったお婆《ばあ》さんが階段を上っていたら、積極的に「手伝いますよ」と話しかけるのがアメリカ人。黙って後ろに付いて、お婆さんがよろけたら手を差し伸べるのが日本人なのではないかと思います。もっといえば、近年のアメリカ人はそんな積極性を失っているわけですが……こうしたアメリカ人の悲しい実情については、第12章で詳しく述べます。

日本人の内に秘めた親切心を証明する話があります。

私のアメリカ人の知人は、あるとき東京駅の券売機で切符の買い方が分からず困っていると、後ろから視線を感じて振り向きました。すると、一人の青年がこちらを見ていたのだそうです。咄嗟《とっさ》に知人は「How do I buy a ticket?（どうやって切符を買えばいいのですか?)」と聞きました。すると青年は大きく頷《うなず》きました。英語が話せなくとも、知人が何をいっているのかを理解したのでしょう。そして知人に「ウェア? ウェア?」と聞き返してきたそうです。

最初、知人は、何をいっているのか分からず、戸惑っていました。が、ひょっとしたら「Where?（どこ?)」と聞いているのかもしれないと思い、「Shinjuku（新宿)」と答えました。すると青年は知人から五〇〇円を受け取って券売機に向かい、切符とお釣りを渡してきました。そして最後に「トゥエルブ! トゥエルブ!」といったそうです。知人はすぐに「一二番線のプラットフォームに行け」という意味だと理解しました。

このように日本人は、自ら積極的に話しかけてくることはなくても、こちらから助けを求めると親切にしてくれます。アメリカ人のように押し付けがましいわけではなく、それでいて放っておくこともできない。私はそんな日本人の情に触れるたびに、ほっこりとした気分になります。

## ＊落とした財布が交番に届く奇跡

以前、銀行のＡＴＭでお金を振り込んだときのこと。ノートパソコンを入れたバッグを、背後にあった配電盤ボックスの上に置きました。そして振り込みが終わって後ろを見ると、置いてあったはずのバッグがない。盗まれたと思い、慌てて近くの交番に行って警察官に事情を説明しました。

そうしたら、びっくり……その警察官が裏からバッグを持ってきて「これですか？」というではありませんか。

私は心から驚いて、「なんでここにあるのですか？」と聞き返しました。すると警察官曰《いわ》く、「先ほど、ある方が誰かの置き忘れだといって、交番に届けてきたのですよ」……私はつい、「置き忘れじゃないの！　そこに置いておいただけなの」と突っ込んでしまいましたが、同時に考えたのは、「もし日本以外の国だったら、私のバッグはどうなっていただろうか」ということ。ATMを操作していた数分間、私は完全にバッグから目を離していたため、盗まれていた可能性は高かったかもしれません。

ただ欲をいえば、バッグから一メートルのところにあるATMに私がいたのですから、「このバッグはあなたのものですか？」と確認してもらいたかった。英語が話せないので、外国人の私に話しかけられなかったのだと思いますが……まあ、それでもきちんと交番に届けてくれたのですから、私は感謝するしかないわけです。

実は私は、これまでに何度も、日本で財布やバッグを落としたり置き忘れたりしたことがあります。しかし、毎回お店の人が預かってくれるか、拾った人が交番に届けてくれました。こんなことは、アメリカはもちろん、他の国ではあり得ないことです。もし財布が落ちていたら、ポケットに入れるだけ。わざわざ交番に届ける人などいません。しかも、その交番がアメリカにはほとんど存在しないのですから――。

落とした財布が当たり前のように交番に届く日本は、やはり素晴らしい国だと思います。ちなみに、数年前にイタリアに旅行した際には、少々太り気味の私を与《くみ》しやすしと考えたのか、ひったくりに狙われました。そうしてノートパソコンを入れたバッグを奪われてしまったのですが、日本にいる感覚で警戒心を忘れていた自分を反省しています。

でも、まあ、盗むほうが悪いに決まっています。そして、私たちが楽園のような国に生活していることに間違いはありませんね。

## ❋世界が真似するドライバーの習慣

また、日本のドライバーの習慣も素晴らしいと思います。

日本人は教習所で厳しい訓練を受けて免許を取るからでしょうか、大半の人は運転が上手だし、マナーも優れていると思います。

プロローグでも触れましたが、たとえば道路で自分の車を割り込ませてもらった場合などは、ハザードランプを点滅させたり、手を上げて合図をして感謝を伝えます。この習慣はユーチューブを通してロシアでも見られるようになったということですが、少なくとも私が知るアメリカ人は、こんなことはしません。

もちろん、地域によってドライバーの気質は違いますが、アメリカでは合流するときには強引に割り込んでくるのが普通なので、後続車も割り込ませないよう車間距離を詰めます。このようにアメリカ人は、運転時、みな性格が悪くなるように感じます。

また、交通量が多いときに三車線の真ん中を走っていたとします。左折するため左に車線変更をしようとウインカーを出しても、誰も入れてくれず、結局は左折できなかった……などということもざらにあります。

では、どうするのか？　確実に左折したいのなら、一マイル（約一・六キロ）手前から計画的にチャンスを見て、隙《すき》があったらウインカーを出してすぐに車線変更を試みるのです。アメリカで運転するのは本当に疲れます。

## ❇外国人を魅了する日本のお母さん

日本の中高年の女性、いわゆる「日本のお母さん」も魅力的です。彼女たちだけは昔も現在も、私のような外国人に対してさえ、物怖《ものお》じせずに積極的に話しかけてきます。

二ヵ月にわたるハワイの日本語学校での語学研修を終えた私は、一九七一年一二月一七日、初めて日本にやってきました。成田国際空港はまだなかったから、着いたのは羽田空港です。その当時、外国為替は固定相場制で、一九四九年から続いていた一ドル三六〇円のレートが、三〇八円へと変更された時期。当時の内閣総理大臣は自由民主党の佐藤栄作《さとうえいさく》氏でした。

羽田空港に到着すると、その足で派遣先の福岡市に飛びました。福岡市は私が初めて日本での生活を送った街。第二の故郷といって良いかもしれません。

その後の二年間の滞在期間は、沖縄返還が実現したり、総理大臣に田中角栄《たなかかくえい》氏が就任し「日本列島改造論」を打ち出したり、中国との国交が正常化したりと、劇的な出来事が多い時期でした。日本円が固定相場制から変動相場制へと移行したのも、このころです。

先にも述べた通り、当時の日本人の多くは英語を話せず、また日本に住む外国人も少ない時代でした。しかし、そんな日本でも、お母さんたちだけは違いました。私のような体の大きな外国人を前にしても、積極的に話しかけてきたのです。それも日本語で……。

たとえば駅に向かっている途中で道に迷い困っていると、「あんた、どこに行きたかと？」と博多弁《はかたべん》で聞いてくる。「駅です」と答えると、行き方を教えてくれるだけでなく、なんと駅まで連れていってくれる人までいました。

その間、「どこから来たと？」とか「日本の食べ物はうまかと？」などと質問攻めに遭いました。博多弁を理解するのは困難でしたが、こんなお母さんと駅まで歩いた経験は、いまとなっては良い思い出です。

そして、こうした気さくな日本のお母さんたちとやりとりをするうちに、私は少しずつ、日本という国と日本人に親近感を抱くようになったのです。

もちろん、こんなお母さんたちは、いまでも健在です。

以前、近所のスーパーマーケットに行ったときのこと。片方の手で財布を持ち、もう片方の手でショッピングカートを押しながら食材を物色していました。すると携帯に電話がかかってきました。そこで私は持っていた財布をショッピングカートの食材の上に載せると、邪魔にならないように壁側に寄せて、ちゃんと財布を見ながら少し離れたところで電話の応対をしました。

このとき電話していたのはわずか五分程度ですが、その間、なんと三人ものお母さんが、「ちょっと、財布があるわよ！　危ないわよ！」とか、「これはあなたのですか？　盗まれますよ」などと声をかけてくれたのです。私はその都度《つど》、「そうです、僕のです、ありがとうございます」と返事をしましたが、さすがに三人目となると苦笑してしまいました。

でも、財布があるのに気が付いていても、盗むのではなく、盗まれないように声をかけてきてくれる、そんなお節介《せっかい》な日本のお母さんを、私は心から愛《いと》おしく思います。

## ＊妻が感動した大家さんの親切心

日本人の、特に私たち外国人に対する優しさを示すエピソードは、本当に山のようにあります。

私は以前、東京・杉並区の善福寺《ぜんぷくじ》に住んでいました。善福寺は、私と妻が日本での生活をスタートさせた街です。

とはいっても、私自身が日本で生活するのはそれが四度目でしたし、新しい場所で生活を始めるに当たり、何をどのようにすれば良いか、おおよそのことは分かっていました。

この日本での新生活の初日、私たちはまず秋葉原に行って、必要な家電用品を買いました。そうして、手に持てる小さな物を除き、ほかはすべて、その日のうちに新居となる家に届けるように頼んで帰宅しました。

その後、部屋の片付けをしようとしていると、女性の大家さんがやってきて、「布団《ふとん》ありますか？　もう用意はお済みですの？」と聞く。私が「いや、実はまだなんです」と答えた瞬間、大家さんは「じゃ、私に任せなさい」とだけ告げ、早速、知り合いの布団屋さんに頼んでくれました。するとその日の夜、外国人用の特注ダブル布団が届きました……。

このとき日本人の親切に初めて触れた妻は、信じられないといった顔で大感激。こうして私たちは、日本での最初の夜を、ふかふかの布団のなかで過ごすことができたのです。

こんな隣同士の助け合いや親切心は、特に相手が外国人でなくとも作用するのかもしれません。が、外国人だからこそ、といった親切やサービスを受けることもあります。

いまでもよく経験することですが、私たち外国人は、日本のレストランや喫茶店などで特別サービスを受けます。きっと店の人は、私たちが遠い異国の地に生活し、言葉も通じず、さぞや心細い思いをしているのだろうと思ってくれているのでしょう。それこそ至れり尽くせりのサービスで、同じ料金を払っている日本人客の三〜四倍は得した気分になることがしばしばあります。

## ❋オシム監督が親日になった経験

日本人の親切心に感動した外国人は、私だけではありません。サッカーの元日本代表監督、イビチャ・オシム氏も似たような経験をしました。

オシム氏は前回の東京オリンピックが開催された一九六四年、ユーゴスラビア代表のメンバーとして来日しました。するとある日、合宿所の近くで自転車に乗っていたら、いきなり知らない老婆《ろうば》が話しかけてきて、梨をくれたのだそうです。

オシム氏は身長一九一センチの大男。一九六四年というと、私が来日する七年前です。外国人などほとんどいなかったはず。しかし、老婆は物怖じもせずにオシム氏に話しかけてきました。この老婆もまた、私が愛する日本のお母さんだったのでしょう。そんな老婆の姿にオシム氏は感動し、それから一気に親日家になったのだそうです。

オシム氏は引退したのちに指導者となり、Ｊリーグのジェフユナイテッド市原（現・ジェフ千葉）、そして日本代表の監督を歴任しました。脳梗塞《のうこうそく》によって志半ばで辞任することになったものの、日本を離れたいまも、切れ味鋭いサッカー評論家として、日本と深い関係を維持しています。オシム氏もまた、日本に魅了された外国人だということでしょう。

ただ残念なことに、私やオシム氏が遭遇した日本のお母さんが、ほんの少しずつですが、減ってきているような気がします。面倒に巻き込まれたくない……国民全体が、そのように考えるようになったのかもしれません。

もともと日本は村社会が中心でした。そこは木造住宅が密集し、自分の家の窓を開ければ隣の家のなかまで見えてしまう。悪くいえばプライバシーがない、良くいえば共同生活のようなものでした。そして皆が知り合いで、助け合って暮らしていました。迷惑なことをすれば居心地が悪くなるので、お互いに気を遣って生活していたのです。当然、怪しい人間が入ってくれば目立ってしまい、悪いこともできません。だから犯罪率もほぼゼロでした。

一九七二年の秋口、同僚と一緒に山口県の山陽本線大畠《おおばた》駅近くからフェリーに乗って屋代《やしろ》島《じま》に渡り、知人に会いにいきました。島のバスの終点まで行き、そこからひたすら歩きました。周りは山の上までミカンの段々畑が広がり、とても美しかった。

そして昼ごろ、道を尋ねるためある農家の玄関に入り、「ごめんください」と呼びかけました。すぐにお母さんが出てくると、驚いたことに、まったく見知らぬ私たち外国人二人を家のなかに招き入れ、「まずはお昼でも食べなさい」といいます。こうして昼食をご馳走《ちそう》になり、道順を教えてもらってから、旅を続けたのです。

いまでも地方都市や都会の下町には村社会の良さが残っているようですが、高層マンションが建ち並ぶ街ではどうでしょうか。

かつて当たり前のようにいた日本のお母さんが少なくなるのは寂しいことです。人々が助け合って生きていく、そんな社会を大切にしてもらいたいと思います。

## ＊ラグビーワールドカップでも絶賛

スポーツといえば、二〇一九年九月二〇日から一一月二日にかけて、ラグビーワールドカップ２０１９が日本で開催されました。夏季オリンピックやサッカーＦＩＦＡワールドカップと並ぶ世界三大スポーツイベントの一つ。日本代表チームがアイルランドやスコットランドなどの強豪国を撃破してベスト８に進出したことで、大きな盛り上がりを見せることになりました。

この大会期間中、世界が注目したのは、各国による白熱した試合だけではありません。開催国・日本の「おもてなし」も大きく注目されました。日本人が日本代表チームだけでなく、すべてのチームを応援する、そんな心温まる大会が二〇一九年のワールドカップでした。

大会開催前、ワールドカップの日本版ウェブサイトでは、日本人に向けて以下のように呼びかけました。

〈国歌で世界をおもてなし。みんなで肩を組み歌うことで心が通じます。歌は無限の可能性を秘めています。

しかし自分が住んでいる国や地域を代表するチームの国歌・ラグビーアンセム以外を知る機会はあまりなく、歌詞を知る機会はもっと少ないです。

ラグビーワールドカップ２０１９日本大会を通じて、まず歌詞を知ってみましょう。そして試合当日は試合会場の全員で肩を組んで大合唱をしましょう〉

そして出場する二〇ヵ国の国歌の動画と歌詞カードを掲載したのです。すると何が起きたか。あちこちの会場で日本人が各国の国歌を歌って歓迎したのです。

大会前に鹿児島市内でキャンプをしていた南アフリカ代表は、公開トレーニングを行いました。すると数千人の市民が詰めかけ、なんと南アフリカの国歌「Nkosi Sikelel' iAfrika（神よ、アフリカに祝福を）」をオリジナルの言語で合唱。この国歌は一番の前半はコーサ語、後半はズールー語、二番はソト語。当日、競技場のスクリーンに歌詞が表示されたそうですが、すぐに歌えるわけがありません。南アフリカの選手たちを喜ばせようと、事前に練習していたのです。これには選手たちも心から感動したことでしょう。

このときの動画がツイッターで拡散されると、地球の裏側の南アフリカのネットユーザーにも届き、「心温まる光景」「感動的だ」という声が溢《あふ》れました。また、「Japanese are the best people on earth.（日本人は地球で一番の人々だ）」といってくる人までいました。もちろん、私もそう思いますが。

同様のことは、日本各地で起きていました。

事前キャンプ地の千葉県柏《かしわ》市に入ったニュージーランド代表「オールブラックス」に対しては、地元の子供たちが、同チームが試合前に披露《ひろう》する伝統的な踊り「ハカ」で歓迎。また、北九州市入りしたウェールズ代表を、地元の少女たちが同国の聖歌「カロン・ラン」を合唱して迎えました。いずれも各国で報道され、大きな話題となりました。

またカナダ対イタリア戦では、福岡県春日《かすが》市の天神山《てんじんやま》小学校の児童が両国の国歌を歌いました。試合後、カナダの選手たちはゴール裏に陣取った児童に駆け寄り、感謝の気持ちを伝えたというのだから、よほど嬉しかったのだと思います。さらに埼玉の熊谷ラグビー場では、招待された中学生約四〇〇〇人が、対戦するロシアとサモアの国歌を斉唱しました。

そしてスコットランド代表チームが神戸市内の小学校を訪れたときは、子供たちがスコットランドの歌を披露《ひろう》しました。すると同国代表公式インスタグラムが「素晴らしい歓迎と演奏をありがとう」と感謝の言葉を掲載しました。ネットユーザーからは「素晴らしい文化交流」「心温まる映像」と、やはり大きな反響がありました。

極め付きはウルグアイ対フィジー戦。試合前、ウルグアイの主将と一緒に入場したマスコットキッズがウルグアイ代表選手と並び、一緒にスペイン語で国歌を合唱したのです。すると試合後、ウルグアイの主将がインタビューの締めくくりに、わざわざ「マスコットキッズがスペイン語で最後まで歌ってくれた。すごく驚いたし、本当に嬉しかった」と付け加えたのです。

さらに、二〇一九年のラグビーワールドカップ、ナミビア対カナダ戦は岩手県釜石《かまいし》市の釜石鵜住居《うのすまい》復興スタジアムで予定されていましたが、台風一九号の影響により中止となりました。すると両国代表の選手やスタッフは、宮古《みやこ》市と釜石市の復旧活動にボランティアとして参加しました。

二五名のナミビアの選手とスタッフは、まずキャンプ地の宮古市を訪れ、三陸鉄道宮古駅前で子供たちと交流、その後、市役所において復旧作業に奮闘する市職員を激励しました。

また、一八名のカナダの選手とスタッフは、釜石市千鳥町《ちどりちょう》の住宅街で、土砂の撤去や水に浸かった家具の搬出を手伝いました。

釜石市によると選手たち自らがボランティアを申し出たといいますが、住民からは次々と感謝の声が上がりました。しかし、これも日本人のホスピタリティに感銘を受けた選手たちが、自然に行った恩返しなのだろうと思います。

ちなみにラグビーワールドカップでもまた、日本人の観客は試合後に会場のゴミを片付けました。日本対ロシア戦の試合後にもファンが会場のゴミ拾いをすると、そのときの模様がやはりネットで拡散。「日本人から学ぶべきだ」「彼らの行動が大好きだ」といった称賛の声が相次ぎました。

こうした報道からも、改めて日本人の素晴らしい精神性を実感します。それとともに、日本に四〇年も暮らしている自分が誇らしく思えました。

## ❄おもてなしを解説した英紙記者

このように、ラグビーワールドカップにおける日本人のおもてなしは「最高」の一言。否定的な報道は一つもありませんでした。

準備・運営を担った組織委員会や日本のファンおよびボランティアはもちろんのこと、各国代表チームが合宿を行った自治体の人たちも素晴らしかったと思います。二〇〇二年のサッカーFIFAワールドカップでは、カメルーン代表チームのキャンプ地・大分県中津江村《なかつえ》（現・日田市《ひた》）の住民と選手との交流が話題となりましたが、二〇一九年のラグビーワールドカップでも、各自治体と代表チームが温かい交流を続けました。

また、NECはスマホで使える「一一言語対応の音声翻訳《ほんやく》アプリ」を配信。会場などに、各国語で書かれた看板を設置しました。とにかく日本人は一丸となって、各国の代表チームや、五〇万人ともいわれる世界中のファンを受け入れたのです。そうした日本のおもてなしを見ていて、アメリカとの違いを感じました。

アメリカも、オリンピックなど、これまで多くの国際大会のホスト国を務めてきましたが、アメリカ人は世界共通語の英語を話します。そのため、外国人も当然、英語ができると考えてしまうのです。つまり、翻訳アプリを作ったり、各国の言語が併記された看板を設置するなどという発想がありません。

気の利《き》いたアメリカ人なら、日本人を前に「コンニチワ」「アリガトウ」くらいのことはいうかもしれませんが……。

この大会を身近で体験して、やはり日本人のホスピタリティは素晴らしいと実感しました。その証拠が、代表チームや各国のファン、そしてメディアの反応です。たとえばイギリス紙「ガーディアン」の記者、アンディ・ブル氏は、日本対スコットランド戦のあと、日本代表の闘いを称えたうえで、以下のように書きました。

〈日本では、このワールドカップでのおもてなし、つまりホスピタリティについてばかり考えている。おもてなしをどう翻訳すれば良いのかは分からないが、四週間この国で過ごした私の目から見ると、客人を全力で喜ばせる、いやそれ以上のことをするということだろう〉

この記者に限らず、多くの人が日本人の素晴らしい心に感動した、そんな大会だったことは間違いありません。イングランド代表のナンバー8《エイト》、ビリー・ブニポラも、「いままでに見た最高の観衆である」と日本人ファンを称賛したことを、イギリス放送協会（ＢＢＣ）が報じています。

唯一、残念だったのは、日本代表がベスト4に入れなかったことですが、それは四年後のフランス大会に期待したいと思います。

## ❋外国人受け入れも日本人の親切心で

本章の最後に、外国人が急増する日本の現状についても語っておきます――彼らは日本人と同じように振る舞うのでしょうか。

日本は世界で最も高齢化が進んだ国です。六五歳以上の人口が総人口に占める割合を高齢化率といいます。この高齢化率が七％以上になると高齢化社会、一四％以上になると高齢社会、二一％以上になると超高齢社会になります。

日本の場合は一九七〇年に七％、一九九四年に一四％を超えました。今後も高齢者は増え続け、二〇二五年には三〇％、二〇五〇年には三七％を超えるとの内閣府の予測があります。

そんななか、安倍晋三政権は出入国管理法を改正し、二〇一九年四月から外国人労働者の受け入れを拡大しました。超高齢社会の日本では労働力が減少しているので、外国人労働者を受け入れて、穴埋めしようというわけです。

こうした日本での外国人労働者の先駆けは、幕末から明治にかけて政府や各自治体に仕えた「お雇い外国人」です。もっとも、外国人は既に江戸時代初期にもいたようですが、劇的に増えたのは幕末から。その大半は、イギリス人、アメリカ人、フランス人、ドイツ人などの欧米人で、最新の医学や法律、あるいは産業技術などを日本に伝えました。

また、同時期には中国人も来日しています。のちに横浜中華街を作ったのも、この人たちです。

そして一八〇〇年代後半になると、朝鮮人が日本に渡るようになる。続く日韓併合で、一気に朝鮮人が増えました。ちなみに、このとき朝鮮人は、より良い生活を求め自分たちの意思でやってきたのであり、強制的に連行されてきたわけではありません。

さて現在、外国人労働者の受け入れを推進する安倍政権に対し、主に保守派が「事実上の移民受け入れだ」と批判の声を上げています。私も事実上の移民受け入れだと思います。「移民ではない」というのは、反対が予想される一部の保守派に対する忖度《そんたく》です。

既に日本の人口は減り始めています。そして、高齢化が進むなかで豊かな日本を維持するためには、三つの選択肢があります。一番目は、日本人がこれからたくさんの子供を産むことですが、これは間に合いません。二番目の選択肢は、外国人を大量に受け入れることです。これを拒否するのなら、三番目の選択肢は、国の規模が小さくなることを容認することです。

そして外国人が日本で就労するには「在留資格」が必要です。これまでの入管法（出入国管理及び難民認定法）では、日本での就労が認められている在留資格は、技能実習、高度専門職、外交、公用、教授、医療、特定活動（ワーキングホリデー）など。二〇一九年四月一日の入管法の改正では、新たに「特定技能一号・二号」が設置されました。

この特定技能一号の職種は、以下の一四種です。①介護②ビルクリーニング③素形材産業④産業機械製造業⑤電気・電子情報関連産業⑥建設⑦造船・舶用工業⑧自動車整備⑨航空⑩

宿泊⑪農業⑫漁業⑬飲食料品製造業⑭外食業。在留期間の上限が五年になっており、家族の帯同は不可能です。

二号は、特定産業分野に属する熟練した技能を要する業務に従事する外国人向けの在留資格のこと。在留期間は無制限で、家族の帯同が可能になります。二号対象者は、いままで同様に納税していること、また日本にとって必要な存在である（雇用が続いている）こと、法律を守っていることなどが、在留許可延長の条件です。これを何回も延長していけば、いずれ永住許可も取れますし、あるいは帰化を申請することもできます。

ところが、特定技能一号対象者が問題です。彼らには、必ず五年以内に国に帰ってもらうこと、永住許可を取れないことなどの条件が付いています。前述の通り、これらはただ単に、「移民アレルギー」の人たちに配慮した、場当たり的な条件にしか見えません。

彼らは「約束した五年が経ったから絶対に帰れ」と強制されるわけです。このような「使い捨て」政策は重大な人権問題に発展することになりかねません。

## ❇奈良時代の日本はグローバル国家

世界を見渡せば、ヨーロッパの国々は、多くの移民を受け入れてきました。特に注目すべきはドイツです。戦後の経済成長を支えるため、一九六一年に、当時の西ドイツは二七〇万人を上限として、トルコ人を労働者として迎え入れました。二年の期限付きでしたが、二年ごとに人を交代して新たに訓練するのでは無駄なので、途中で期限がなくなり、家族帯同も認められるようになりました。現在、トルコ系移民は二七〇万人もいます。

私は特定技能一号の対象者は、最初は一年でも三年でもいいから働いてもらい、その間の勤務態度や納税状況などによって在留許可が更新されればいいと思います。最終的には日本社会に溶け込んだ人々に、長期にわたって社会貢献ができる道を備えておかないと、世界基準の移民政策とはいえません。

ヨーロッパでは、二〇一五年から、大量の「難民」が中近東やアフリカから流れ込んだことが問題になりました。原因はシリア内戦や干ばつなど様々でしたが、無条件で受け入れることによって、元からいた国民が移民に仕事を奪われるようになり、結果、移民排斥《はいせき》を訴える極右政党が台頭しています。

こうした状況下で外国人労働者の受け入れを拡大するのは、時代に反しているのではないか、ヨーロッパを反面教師にすべきではないか、日本の一部の保守派は、そう訴えているわけです。

私は移民の国・アメリカからやってきました。だから移民に対する考え方は、日本の保守派とは違います。しかも、もともと日本はグローバルな国で、外国人に寛容な国だったと思います。

たとえば日本が建国した満州国の五族協和――これは満州の地に、日本、漢、朝鮮、モンゴル、満州の五つの民族が協力して国を造るという理念です。また、先の大戦で日本が掲げた大東亜共栄圏もグローバルな考え方そのものといえましょう。加えて戦時中、外交官の杉原千畝《すぎはらちうね》は、ナチスドイツの迫害から逃れてきたユダヤ人難民にビザを発給し、多くの人を救いました。

このように、以前から日本人は、グローバルな視点を持っていたのです。

日本人のこうした傾向は、近現代に限ったことではありません。七五二（天平勝宝《てんぴょうしょうほう》四）年、奈良の大仏開眼供養会《かいげんくようえ》が行われたときには、わざわざインドから僧侶を招いています。飛行機のない時代にインドから来てもらうというのですから、ただただ凄い。当時から、日本が世界に目を向けていたことがよく分かるエピソードです。

だからこそ、初めから移民はダメだと排除するのではなく、熟慮してもらいたいのです。賢明な日本人なら、必ず良い答えを導き出せるはずです。

二〇一九年一一月現在、外国人が最も多い自治体は、東京都新宿区。全人口の一二・四％、約四万三〇〇〇人です。新宿区長と対談した際には、二〇一九年の時点で五〇ヵ国から来た外国人が同区内に住んでいると教えてもらいました。そのため新宿区は、非常に積極的に、様々な施策を行っているそうです。

## ＊日本のパスポートが世界一ゆえに

もし外国人労働者を受け入れ、事実上の移民が増えたとしても、この日本という素晴らしい国に感銘を受け、日本に帰化したいと希望する外国人が、必ずや増えることでしょう。もちろん日本を愛し、日本人として生きていきたいと考える外国人なら、なんの問題もありません。

しかし、なかには日本人としてのステータスが欲しいだけで、国籍は日本になっても精神は日本人にはなりたくない、などと考える外国人もいます。

日本のパスポートは世界で最も信用されており、イギリスのコンサルティング会社が発表しているランキングで、二〇一九年に世界一位に輝いたように、ビザなしで世界一九〇ヵ国を訪れることができます。そのため、貿易関連の仕事を円滑にするためだけに帰化する人もいるでしょう。こうしたケースには注意が必要かもしれません。

すると、やはり日本の帰化制度に問題があるといえます。以前の日本では、帰化に対しては厳しい条件を課していました。申請者の犯罪歴はもちろん、経歴を徹底的に調べていました。軽い交通違反を犯しただけでも、帰化はできなかったのです。こうした点は、元に戻すべきかもしれません。

それから重要なのは、帰化の際に日本に忠誠を誓わせることです。ちなみにアメリカの場合、帰化の際に専門技能や英語力に関する審査があり、最後に必ず星条旗に忠誠を誓わせています。日本もこれを参考にすべきでしょう。

日の丸に忠誠を誓えば、比類なき親切心を発揮する人間が生まれるわけではありませんが、アメリカ人の私としては、このように提案する気持ちを抑えられません。この素晴らしい国の伝統が続いていくことを祈るからです。

# 第2章　将来的に世界の文化の中心になる国だから

## ＊西洋とは真逆の方向性で世界の中心に

日本に来て、日本のことをある程度理解するようになってきても、日本への興味と驚きは尽きることがありません。

マルコ・ポーロの時代から、日本は欧米人にとって「不思議の国」「神秘の国」でしたが、それは現代においても同じ。日本人特有の物の考え方、とても真似のできないような伝統芸の細やかさ、重みのある文化の数々……それは私たち欧米人を、永遠に魅了します。

いや、それは欧米人だけではないかもしれません。実は中国人が日本を観光するルートには、奈良が入っていることが多いそうです。なぜか？　約一二〇〇年前の唐を想像することができるからです。というのも、中国では、度重なる戦乱や共産党の政策によって、古き佳き先人の遺産が消失してしまい、ほぼ現存していないのです。

日本では、歌舞伎《かぶき》や能、華道や茶道《さどう》、相撲《すもう》や空手など、伝統的な文化が、これでもかというほど、外国人の前に現れます。その一方で、アニメ、マンガ、カラオケ、ゲーム、コスプレ、Ｊポップなど、新たな文化も発信され続けています。アメリカやフランスでは毎年、日本文化の博覧会「ジャパンエキスポ」が開催され、会場には何十万という人たちが集まるほどです。

日本は明治維新のあと、イギリスやドイツを参考に近代化を推進し、戦後はアメリカを参考にして一等国になりました。その間に失くしてしまった日本の伝統や文化もあるとは思います。しかし、その大事な部分は、まったく失っていません。新旧の様々な文化が混在する日本にこそ、世界の人々は、大きな魅力を感じているのです。

日本は西洋とは真逆の方向性で世界の中心になれる――そう断言しても良いでしょう。そこで本章では、私たち外国人にとって魅力的な日本の文化を語っていきます。

まず私たちアメリカ人が憧《あこが》れるのは、日本の歴史です。私は大学・大学院時代、『古事記』や『日本書紀』を英語版で読みました。当時、内容を完全に理解できたわけではありませんが、しかし確実に、日本の長い歴史を感じることはできました。

ちなみにアメリカが独立を宣言したのは一七七六年。建国から二五〇年たらずの歴史しかありません。だからアメリカには、『古事記』のような書物はありません。その代わり、私たちは学校で、イギリスの古い書物を読みます。私たちにとっての国語といえば、もちろん英語。その英語の古い書物となると、イギリスの書物しかないのです。

たとえば一四世紀のイギリスの詩人、ジェフリー・チョーサーの『カンタベリー物語』。私たちはこの作品で、オールド・イングリッシュを学びます。ただ日本の古文と同様、この作品の英語は現代人には読みづらく、意味を理解するのも難しい。英語のアルファベットには、日本の漢字のような旧字体はありませんが、一四世紀の作品となると、単語やスペル、そして文法が、まったく異なるのです。

『古事記』や『日本書紀』を原文で読める日本人は少ないでしょう。それと同様に、古い英語の書物を読むのも大変なのです。

文学以外にも、日本古代史や日本近代史、それから中国古代史とアジア古代史も学びました。近年、私は、日本が中国や韓国とのあいだで抱えている歴史問題にも言及しています。すると中韓びいきの日本人から、「あなたは日本の歴史を知らないだろう」とか「歴史修正主義者だ」などと批判されることがあります。しかし、それは違う。私はアメリカで日本の歴史をしっかりと勉強しました。

少なくとも中韓の人よりも日本の歴史を知っています。自分でいうのも変ですが、並の外国人ではないのです。

## ❇韓国人を魅了する日本の小説

こんな私は、学生時代、日本文学を読み漁《あさ》りました。大学で日本文学を専攻していたからです。ただし、要は単位を取得するための読書であり、日本文学に触れたいという純粋な動機で読んだわけではありません。それでも多くの作品を読み進めるうちに、徐々に日本文学に夢中になりました。

古い作品なら清少納言《せいしょうなごん》の『枕草子』、紫式部《むらさきしきぶ》の『源氏物語』、紀貫之《きのつらゆき》の『土佐日記』、近現代の作品なら夏目漱石《なつめそうせき》の『吾輩は猫である』、島崎藤村《しまざきとうそん》の『破戒』、森鷗外《もりおうがい》の『舞姫』……当時、英訳された日本文学は、すべて読んだと思います。

そんな私が最初に読んだ日本の小説は、夏目漱石の『坊っちゃん』でした。舞台になっている四国の道後《どうご》温泉は、若かりしころに訪れた、最も思い出深い場所の一つでした。そのせいもあって、松山市の風景や街の人たちの人情などを懐かしみながら、興味深く読み進めたことを覚えています。

私たち日本語専攻の学生のあいだでは、漱石の作品のうち『こころ』が最も人気がありました。でも、私自身は『坊っちゃん』のほうが好きでした。全体的に明るくて、ストーリーが明快だし、活劇あり、マドンナをめぐるラブロマンスありで、とても楽しめる内容だったからです。それに何よりも、坊っちゃんを含めた登場人物のキャラクターが好きだった。みんなそれぞれユニークで、しかもユーモアのセンスを持っているところが良いのです。

谷崎潤一郎《たにざきじゅんいちろう》にも夢中になりました。谷崎の作品のなかで印象に残っている作品は、『細雪《ささめゆき》』『卍《まんじ》』『鍵』『春琴抄《しゅんきんしょう》』といった作品。『春琴抄』のなかで主人公の一人、佐助《さすけ》が自ら目を針で突き、愛する女師匠と同じ境遇に身を置くというシーンを読んだときなどは、なんともいえぬ不思議な感動を覚えました。興奮のあまり眠れなくなったほどです。そんな経験は、後にも先にもありません。

そして、私が最も感銘を受けた作家が、三島由紀夫《みしまゆきお》です。『豊饒《ほうじょう》の海』第一巻『春の雪』は衝撃的な作品でした。

アメリカ人の多くは聖書に基づいて生きています。だから善悪がはっきりしている。しかし、同作の主人公・松枝清顕《まつがえきよあき》は感情のままに生きており、罪の意識もまったく持っていない。こういう生き方もあるのだなあと、ある意味、たいへん勉強になりました。

日本文学では、いまもなお素晴らしい作品がたくさん生み出されており、世界で人気を集めています。知識層にあっては、村上春樹《むらかみはるき》氏や大江健三郎《おおえけんざぶろう》氏を知らない欧米文化人はいないはずです。

二〇一八年、私の知人が韓国に旅行したとき、ソウルの書店に立ち寄りました。店内には、小説の年間売上ランキングが貼り出されていたそうです。すると知人は、それを見て驚きました。なぜなら、一位から四位までが東野圭吾《ひがしのけいご》氏や宮部《みやべ》みゆき氏ら日本人作家の作品だったからです。

文在寅《ムンジェイン》大統領以下が反日政策に邁進《まいしん》してきた韓国ですが、国民は正直です。どうせお金を払って本を買うなら、面白い本を読みたいのでしょう。その結果が、売上ランキングに表れています。

## ＊中国のマンガがつまらない理由

また、アニメやマンガも世界中にファンを抱えています。

ちなみに、アメリカの大手書店のマンガコーナーを見て驚いたことがあります。日本では本の背を右側にして読むのに、英語では本の背を左側にして読みます。しかし、外国人でもマンガ本は、日本と同様に背を右側にして読む。日本のマンガ本の文章を英語やフランス語に翻訳できても、絵を並べ替えることはできないからです。大半のマンガが日本発なので、日本のかたちが世界のマンガの基準になっているようです。

近年、中国でも日本の作品が大人気。それを見て、国が先導するかたちでマンガ家を育てています。その甲斐あってか、中国人のマンガ家やクリエーターの画力は上がったといいます。しかし、肝心《かんじん》の物語がつまらない……なぜ中国のマンガ家は日本のマンガ家のように面白い物語を創ることができないのでしょうか？　それは、両国の社会環境に原因があるような気がします。

日本人は、子供のころから、たくさん楽しい経験をします。たとえば夏祭り。みんな友達や家族と行ったはずです。しかし中国では、人が集まると暴動に発展する可能性がある。だから原則、祭りを規制しています。

こうした規制のせいで、中国人には限られた経験しか与えられません。これでは、起伏のある多彩な感情を表現したり、感動を呼ぶストーリーを考えたりすることなど、不可能です。自分でその一端でも経験したことがないのですから。実際、日本に関心のある中国人は、たとえばアニメやマンガに描かれる修学旅行にすら憧《あこが》れを感じているそうです。

お祭りに限らず日本には様々な文化があり、日本人は幼少のころから、そうした文化に触れながら成長します。そうしてクリエーターとしてのセンスが培《つちか》われていくのだと思います。

逆に中国は共産党による一党独裁国家。子供時代、そして大人になってもなお共産党の監視下に置かれ、その価値観を押し付けられます。また、祭りや修学旅行で楽しい体験を積むことなどできません。これではマンガ家の画力が上がったとしても、世界に通用する繊細《せんさい》なストーリーを紡《つむ》ぎ出すことなどできないでしょう。

## ✻日本を愛する「精神日本人」とは

中国人が夢中になっているのは、アニメやマンガだけではありません。一党独裁の共産党による反日教育が行われ、いまだに荒唐無稽《こうとうむけい》な抗日ドラマが制作されているにもかかわらず、中国の若者は、日本文化全体に魅了されているのです。

その代表が「精神日本人（精日《せいにち》）」と呼ばれる中国人。これについては共同通信社記者・古畑康雄《ふるはたやすお》氏の著書『精日　加速度的に日本化する中国人の群像』（講談社）に詳しく書かれています。

まず精日とは何なのか。古畑氏は以下のように解釈しています。

〈「もともと日本人ではないが、日本人や日本社会の生活様式、文化、価値観を高く評価し、自らの生活にも取り入れることで、できるだけ（彼らの考える）日本人に近づこうとする外国人（実際には中国人）」のこと〉

精日が世に広まったのは、二〇一八年三月の全国人民代表大会（全人代）のとき。記者の質問に対する王毅《おうき》外相の発言に端を発するとのことです。同書では、そのときの模様を詳しく語っています。

〈中国の記者が何の脈絡もなく、「精日についてどう思うか」と質問したところ、王氏は吐き捨てるように「中国人的敗類《はいるい》」と言ったのです。「敗類」とは「集団のなかの裏切り者、墜落した者、人間のクズ」という意味です〉

なぜ王毅外相がこう批判したのかというと、戦時中の日本軍の軍服を着て記念写真を撮影して、ネットに公開する中国人の行動を問題視していたからです。

確かに精日と呼ばれる人たちのなかには、ミリタリーマニアもいます。ただほかにも、日本の演歌マニアや日本サッカーの熱烈なファンもたくさんいるのです。たとえばサッカーのファンは、日本代表のユニフォームを着て日本料理店に集まり、日本代表チームを応援する会を開催しています。

古畑氏はこうした精日に取材した話も書いています。印象的な部分を抜粋します。

〈日本の演歌が大好きです。（略）なかでも五木《いつき》ひろしさんが最も好きな人です！　彼のほとんどすべての曲や動画、さらに台湾での記者会見の様子もダウンロードしています〉

〈（サッカー）日本代表への熱愛は、自国代表を上回っています。というのも、中国代表にはまったく希望を感じないから。あまりに野暮《やぼ》ったい中国のサポーターと一緒にされるのも嫌です〉

なぜ彼らは日本に夢中になっているのか？　子供時代に観たアニメなどをきっかけに、日本に興味を持ったケースが多いようです。ほかにも映画、ドラマ、文学、音楽から興味を抱くようになった人、あるいは実際に日本を訪れ、その街の美しさや治安の良さに感動して興味を持つようになった人もいるでしょう。

ちなみに同書には、私が体験したのと同じように、落とした財布が返ってきた人の話も載っています。少なくとも中国では、落とした財布は戻ってこない……いや、財布が戻ってくる唯一の国、それが日本なのです。

この中国では、一九九三年に江沢民《こうたくみん》氏が国家主席になると、大規模な反日宣伝が展開されました。学校教育でも反日教育に力を入れました。そうした影響もあり、日本に良い印象を持たない中国人が増えました。しかし、それでも日本の文化に魅了され、来日しては日本の素晴らしさに感動する人が後を絶たない……それだけ日本の文化には魅力があるということの証拠ではないでしょうか。

そう、中国の政治家の思惑通りには行かない、それほど大きなソフトパワーが、日本には備わっているのです。かくいう私も、それに魅了されてしまい、四〇年もこの地に住み続けることになってしまいました。

## ❋映画に見るアメリカ人の日本観

アメリカにも日本に興味を持つ人がたくさんいます。アニメやマンガ、日本食など、その対象は様々ですが、近年、特に注目を浴びているのがポケモン（ポケットモンスター）。子供だけでなく、大人も夢中になっているのです。

二〇一六年に配信されたスマートフォン向けゲームアプリ「ポケモンGO」——二〇一九年六月現在、世界で累計一〇億を超えるダウンロード数があったとされます。マイケル・ジャクソンの一九八二年の大ヒットアルバム「スリラー」の売り上げが、全世界のトータルで一億五〇〇〇万枚程度なので、一〇億がいかに凄い数字であるかが分かります。

アメリカでは以前から、ポケモンのアニメや家庭用ゲームソフトは大人気でしたが、「ポケモンGO」により、日本の文化に興味を持つアメリカ人が急増したわけです。いまでは年齢や性別を問わず、誰もが「Pikachu（ピカチュウ）」を知っています。

実は昔から、日本に興味を持つアメリカ人はたくさんいました。その証拠に、「Ninja（忍者）」や「Samurai（侍）」が出てくる映画はたくさんありましたし、日本を舞台にしたリドリー・スコット監督、松田優作《まつだゆうさく》氏、高倉健《たかくらけん》氏、マイケル・ダグラス氏、アンディ・ガルシア氏が共演した「ブラック・レイン」、またクエンティン・タランティーノ監督の「キル・ビル」のような映画もあります。加えてトム・クルーズ氏と渡辺謙《わたなべけん》氏が共演した「ラスト サムライ」などは、間違いなく日本文化への憧れを表現しています。

ただ、日本文化や日本人を誤解している作品もたくさんありました。映画マニアでなくても、おかしな日本人が出てくる作品の一つや二つは、思い出すことができるのではないでしょうか。

たとえばロバート・ゼメキス監督、マイケル・J・フォックス主演の映画「バック・トゥ・ザ・フューチャー Part2」には、おかしな日本人が出てきます。主人公マーティ・マクフライの上司のイトウ・フジッツウなる人物です。

イトウは非常に性格が悪く描かれており、マーティに解雇通告をします。映画公開は一九八九年ですから、日本はバブル絶頂期。「ジャパン・アズ・ナンバーワン」といわれた時代です。経済で一人勝ちする日本を揶揄《やゆ》したのだと思いますので、これは日本人に対する偏見というより、社会風刺のつもりだったのでしょう。

ただ、それにしてもイトウ・フジッツウとは不思議な名前です。「富士通」という総合エレクトロニクス企業はありますが、私がフジッツウなる日本人に会ったことはありません。おかしいと指摘できるスタッフは誰かいなかったのでしょうか。

近年、映画に出てくる日本人キャラクターは、以前と比べたらマシになったと思います。日本人から見ると「日本人ではない」「中国人と混同している」と感じることもあるかもしれませんが、それでもフジッツウのようなおかしなキャラクターはいなくなりました。

このように不思議な人物造形が多かったものの、それでもアメリカ映画には、昔から多くの日本人キャラクターが登場してきました。それはやはり、アメリカ人が、何らかのかたちで日本の特別性に魅了されていたからではないでしょうか。日本の伝統的な文化には、神秘的なものすら感じるのでしょう。

## ＊「飲みニケーション」を世界に

さて、私の初来日から五〇年近くが経ちましたが、現在でも毎日、新たな発見がありま す。初来日を前に知人からいわれた「違いを楽しめ」を、いまだに実践しているのです。

そんな私が、最近、面白いと感じたのは、接待などのために日本人ビジネスマンが使う「クラブ」です。二〇一九年には、東京・銀座にあるクラブ「稲葉」のオーナー、白坂亜紀《しらさかあき》さんと対談する機会がありました。

私はお酒を飲まないので、プライベートでクラブに行ったことは一度もありません。ただ、女性にお酒を注いでもらい、話をするだけでワンセット数万円、高級店なら数十万円するということは知っていました。アメリカにはこのようなお店はないので、最初は不思議な感じがしたものです。

このようなクラブを知るには、やはり日本の酒文化を学ばなければなりません。「飲みニケーション」という独特の文化です。

日本人は酒席をともにすることで絆《きずな》を深めます。それはプライベートな友人だけでなく、会社の同僚や上司、そして部下に対しても同じ。お酒を飲みながら腹を割って話すので す。ただ、近年はお酒を飲まない日本人、あるいは仕事とプライベートをきっちり分けたがる日本人が増えており、日本の酒文化も少しずつ変わってきているようですが。それから日本では、ビジネスの相手にお酒をご馳走《ちそう》して、仕事をもらうこともあります。いわゆる接待ですが、アメリカよりも活発に行われていると思います。

国際法律事務所で法律コンサルタントとして働いていた一九八〇年代、私は日本進出を狙うアメリカ企業の幹部から相談を受けました。

その際、「日本のビジネスマンとは、どう付き合ったら良いのですか？」と聞かれたので、「まず飲みに行きなさい」と即答しました。すると幹部は驚いて「どうして？」と聞き返してくる。そのため、日本人が飲みの席を大事にすること、お酒を酌《く》み交《か》わして親しくなることなどを説明しました。

日本のビジネスマンは、正式契約までのプロセス、特に人情の部分に訴えるプロセスを大切にします。つまり、契約書をいきなり文書化するようなことは、すなわち相手を信用していないことになり、失礼に当たる……そう考えるのです。

だから、相手とお酒を飲み、少しでも人情を通わせてから仕事の話に移ろうとする。この辺のところが、日本人特有の仲間意識、あるいは和の精神を表しているような気がして、私にはすごく興味深いのです。しかし、これを欧米人がすぐに理解できるはずもなく、私の説明を聞いたアメリカ企業の幹部は困惑していました。

話を銀座のクラブに戻します。接待でこのような店を使うのは、やはりクライアントに対する誠意の表れなのだろうと思います。高級なお店でホステスの一流の接客のもと、美味しいお酒を飲んで語り合う。そうすることで、「あなたのことを大切に思っています」という気持ちを伝えるわけです。

ちなみにアメリカでも、仕事仲間や大事なクライアントにご馳走することはあります。特に都市部では、高級レストランやバーに連れていくことはよくあること。ただ、ある程度親しくなったら、ホームパーティーに招くのが一般的です。自宅に招いてもてなすことで相手との距離が縮まる、そう考えるのです。

一方、日本にはアメリカのようなホームパーティーの習慣がありません。第一、ビジネスの場に家庭は持ち込まない。家が狭かったりすることも理由としてあるでしょう。やはり、一緒になってお店に飲みにいく、これが日本の酒文化なのです。

私も仕事や講演会の打ち上げなどで、仲間たちと居酒屋に行くことがあります。仕事が終わって疲れ、家に帰りたい気分でも、お付き合いします。仕事の大事な一部分だと分かってきたからです。お酒は飲めないのでソフトドリンクで乾杯していますが、食事をしながら腹を割って話す日本の文化は十分楽しめます。人間関係が深まり、仕事の到達点も高まると思います。

# 第3章　世界に誇る多様なエンタメがあるから

## ＊ジョン・レノンが号泣した歌舞伎

私が住む東京の良いところは、気軽に世界の文化に触れることができる点です。世界中のありとあらゆる文化が渾然一体《こんぜんいったい》となり、私たちはそれらを身近で体験することができます。東京で手に入らないものを挙げてみろといわれたら、しばらく考え込んでしまうのではないでしょうか。

「アメリカ人向けのジーンズ」や「アメリカ仕様のオートバイ」などというものまで、手に入れようと思えば手に入る街、それが東京。こうしたことは、普段は当たり前のことだと思っていて気付きません。しかし、よく考えてみると、実は凄いことだと思います。

それから生活のスピードです。東京では時間の流れが速い。三〜四分間隔で次の電車がホームに滑り込んでくるなどというのは、アメリカの田舎育ちの私には、まさに驚異です。そのせわしなさを嘆く日本人もいますが、私は別に悪いことだとは思いません。なぜなら、生活の密度を濃くできるから。おそらく東京の二四時間は、私の故郷のユタ州オレム市の三〇時間に匹敵するかもしれません。

一方、そうした密度の濃い生活を送りながら、東京を中心とする日本では、世界をリードする芸能の世界を楽しむことができます。

日本の娯楽を大きく分けると、日本独自の伝統的なもの、そして欧米から取り入れて進化させたものの二つがあります。その日の気分によって伝統芸能を楽しむこともできるし、欧米発の芸能も楽しむことができる。そんな国は日本だけではないでしょうか。

歌舞伎、能、相撲などは、まさに日本伝統の娯楽。外国人のあいだでもずっと人気です。

たとえば日本を愛したジョン・レノン氏。一九七一年にお忍びで来日したときには、歌舞伎を見にいきました。そのときの演目は六代目・中村歌右衛門《なかむらうたえもん》と一七代目・中村勘三郎《なかむらかんざぶろう》の「隅田川」。これは華やかさのない、非常に陰気くさい舞台なのです。にもかかわらず、ジョン・レノンはこの舞台を観て、号泣《ごうきゅう》しました。彼は日本人アーティストのオノ・ヨーコさんと結婚していたため、日本が世界に誇る「侘《わび》」や「寂《さび》」を理解していたのかもしれません。

同じく元ビートルズのポール・マッカートニー氏は、一九九三年と二〇一三年、コンサートで来日した際のオフの時間に、相撲を観戦しています。そうして一九九三年にはテレビの取材を受け、好きな力士を挙げ「ボノ」といっていました。当時、横綱に昇進したばかりの曙《あけぼの》のことだったようですが、世界的なスターが力士の四股名《しこな》を即答できるほど、日本文化は私たち欧米人を魅了するのです。

また、二〇一九年九月に死去したフランスの元大統領、ジャック・シラク氏も大の相撲好きで、日本文化に対する造詣《ぞうけい》が深いことで知られていました。学生時代には『万葉集』を読み、遠藤周作《えんどうしゅうさく》など日本文学を愛読したそうです。そうして日本をたびたび訪れ、温泉を楽しみ、日本の古美術品を大量に所蔵していました。ちなみに愛犬を「スモウ」と名付けていたほどの相撲ファンだったようです。

## ❋ボン・ジョビが広めた盆踊り

そんな日本は祭り大国。これを楽しみに来日する外国人観光客もたくさんいます。
実際、夏は「祇園祭《ぎおんまつり》」や「青森ねぶた祭」、冬は「さっぽろ雪まつり」や「なまはげ柴灯《せど》まつり」など、一年中どこかで祭りが開催されています。お祭り評論家の山本哲也《やまもとてつや》氏は自身のブログで、自治体主催の小さな祭りも合わせれば、年間三一万件ほど開催されていると推測しています。暴動を恐れ、人が集まることを極端に嫌う中国政府は、祭りを規制していますが、それとは正反対です。

私の事務所がある東京都目黒区では、夏は「中目黒夏まつり」、秋は「目黒のさんま祭り」が開催され、私も何度も足を運んだことがあります。目黒の祭りでも、近年は外国人をよく見かけるようになりました。では、なぜ日本の祭りは外国人に人気が高いのでしょうか。

まず、祭り会場には屋台が並び、浴衣《ゆかた》姿の人で溢《あふ》れており、まさにエキゾチックを絵に描いたような風景が広がっています。また、祭りは神社仏閣との関わりも深く、日本的な伝統が感じられます。賑《にぎ》やかなお囃子《はやし》を聴きながら、屋台で買ったたこ焼きを頬張《ほおば》る。そして繊細で鮮やかな装飾が施された神輿《みこし》や山車《だし》、あるいは櫓《やぐら》の上で踊る人を眺めていると、それだけで日本の精髄を味わっているような感覚になります。

そして、外国人に人気の祭りといえば、京都の祇園祭や青森ねぶた祭。ともに長い歴史がある祭りです。祇園祭の絢爛《けんらん》たる装飾が施された三二基の山鉾《やまほこ》、ねぶた祭の巨大なねぶたには、観る者すべてが圧倒されます。また、法被《はっぴ》にステテコ姿の山鉾の曳《ひ》き手や、ねぶたの屋台とともに練り歩くハネトの男女から、日本の歴史を感じることができます。

以前、私の母校、ブリガムヤング大学の学生二六名が青森ねぶた祭に参加し、ハネトの衣装を着て、「ラッセラー、ラッセラー」と叫びながら練り歩いたことがありました。私は動画で観ただけですが、みんな目を輝かせながら、日本人と一緒になって踊っていました。正しい踊り方は分からなくても、日本人の真似《まね》をするだけで楽しいのです。

また二〇一八年八月、東京の「中野駅前盆踊り大会」では、非常に面白い試みがなされました。伝統的な盆踊りの曲だけではなく、ＤＪが場の雰囲気に合わせて選んだ曲を流すという、ディスコの要素を取り入れた盆踊り大会を開催したのです。

このとき会場では、アメリカのロックバンド「ボン・ジョビ」の「Livin' On A Prayer」が流れました。ボン・ジョビの「ボン」と盆踊りの「盆」をかけたユニークな選曲でした。櫓の前にいた参加者は、激しいロックサウンドに合わせて踊ったのです。ある参加者が撮った動画を私も観ましたが、まったく違和感がなく、びっくりしました。

ちなみに、この動画がツイッターで拡散され、ボン・ジョビのもとにも届きました。バンドは同年一一月に来日公演を控えていたこともあり、公式アカウントでは、以下のようなツイートが見られました。

「一一月二六日と二七日の公演で、みんながこうして踊ってくれることを楽しみにしている！」

このボン・ジョビ効果で、日本の盆踊りは、ますます世界に広まったことでしょう。ユーチューブで「Bon odori Japan」と検索すれば、外国人向けの動画がたくさんヒットします。

現在、訪日外国人向けの体験型アクティビティとして、座禅や陶芸、茶道《さどう》や華道などが人気です。ひょっとしたら、今後は盆踊りもその一つとなり、櫓の周りが外国人だらけになる日がやってくるかもしれません。

そんなときは優しく踊り方を教えてあげてください。外国人は踊りを通して、日本人と仲良くなりたいと考えているからです。かくいう私も遠い昔、初めて盆踊りに参加したときには、そんな思いを抱きながら見様見真似で踊ったものです。

コマ（車輪）付きの山車をぶつけ合う「岸和田《きしわだ》だんじり祭」には野性味が感じられますが、日本の祭りは概して平和的です。浴衣を着た家族やカップルが楽しそうに談笑し、子供でも安心して参加できます。

私は、そんな祭りにやってくる、子供たちの姿を見るのが大好きです。綿菓子やりんご飴《あめ》を美味しそうに頬張る浴衣姿の子供たちを見ると、こちらまで幸せな気分になるからです。日々の喧騒《けんそう》を忘れさせてくれる祭りがあるのも、私が日本に住み続ける理由の一つです。

## ❋占領下の3S政策も独自に進化

伝統的な文化が満開の日本ですが、欧米から取り入れて進化させたものもたくさんあります。

戦後、アメリカが日本を占領すると、日本人を骨抜きにするため、「3S政策」を採りました。3Sとは「Screen」「Sports」「Sex」の頭文字《かしらもじ》で、映画とスポーツとポルノです。アメリカの映画やドラマ、野球、そしてポルノを日本に取り入れて、日本人を夢中にさせる。そうして日本人に政治や歴史、あるいは外交のことなどを考えさせないようにしたのですが、端的にいえば日本人愚民化政策です。

この政策は、戦争への罪悪感を日本人の心に植え付ける先述の宣伝計画「ＷＧＩＰ」と同様、大きな効果をもたらしました。結果、日本人の多くは、テレビドラマ「コンバット！」に夢中になり、読売ジャイアンツに熱狂し、ことによると世界一多彩な風俗産業を生み出したのでしょう。

そんな戦後の日本には、コーラやジーンズ、そしてロックンロールに代表されるアメリカのソフトカルチャーがどんどん入ってきました。そして日本人、特に若者は、アメリカ文化に夢中になっていきました。

結果、いわゆる「アメリカかぶれ」の日本人も生まれました。しかし日本人の凄いところは、アメリカの真似に留まらず、より良いものを作り上げる点です。

戦後、日本の自動車メーカーや家電メーカーは、欧米の製品を参考に、より良い製品を造り、世界でシェアを獲得しました。それは自動車や電化製品に留まりません。コンビニに行けば、いまやコーラよりも美味しい清涼飲料水がたくさん並んでいますし、リーバイスに匹敵する品質の国産ジーンズメーカーもあります。これが日本人の凄さなのです。

そのような日本だから、３Ｓ政策は予想外の方向に進みました。なんと、日本独自に進化していってしまったのです。

まずは映画。そもそも日本には戦前から素晴らしい映画がありました。昭和を代表する小《お》津《づ》安《やす》二《じ》郎《ろう》氏や黒澤《くろさわ》明《あきら》氏ら、近年なら北野《きたの》武《たけし》氏や黒沢《くろさわ》清《きよし》氏ら、日本人監督は多くの作品を世に送り出し、世界的な評価を受けています。また、「ゴジラ」などの特撮映画や、宮崎《みやざき》駿《はやお》氏や新海《しんかい》誠《まこと》氏らが生み出すアニメ映画は、まさに世界を牽引してきました。

ロックミュージックも同様です。先述のポール・マッカートニー氏は、一九六六年にビートルズのメンバーとして初来日しました。その武道館コンサートでは、内田《うちだ》裕也《ゆうや》氏やザ・ドリフターズらが前座を務めましたが、後年、ポールはこのときのことを振り返り、「当時の日本人はロックを理解していないようだった」という趣旨の発言をしています。しかし現在では、「ONE OK ROCK（ワンオクロック）」や「BABYMETAL（ベビーメタル）」など、世界で活躍する独特な「ジャパン・ロック」バンドが増えています。

また、毎年七月下旬から八月上旬には、新潟の苗場《なえば》スキー場で「フジロックフェスティバル：通称フジロック」が開催されています。これは、アメリカの「ウッドストック・フェスティバル」や、イギリスの「グラストンベリー・フェスティバル」を意識して一九九七年から始まったもの。参加する日本人のモラルの高さや新潟の美しい自然が年々、フェスティバルのブランド力を高め、いまでは外国人もたくさん訪れます。

そして何より、参加する海外アーティストの多くが、口を揃えて「世界一のフェスティバルだ」といっているのだそうです。

やはり日本は、どんな分野でも、本気になると頂点に上り詰めてしまうのです。

## ＊世界レベルの野球を都心で観戦

次に野球についても語ります。

野球は明治初期に来日したアメリカ人教師、ホーレス・ウィルソンが日本に広めました。日本には戦前からプロ野球があり、一定の人気を得ていましたが、むしろ大学野球に押されていました。プロ野球の人気が爆発したのは、立教大学でスター選手だった長嶋茂雄《ながしましげお》氏が読売ジャイアンツに入団した一九五八年からのことです。

私が初来日した一九七一年は、読売ジャイアンツのＶ９時代の真っただなかでした。長嶋氏のほか、王貞治《おうさだはる》氏や高田繁《たかだしげる》氏、柴田勲《しばたいさお》氏、そして堀内恒夫《ほりうちつねお》氏ら、錚々《そうそう》たるメンバーが在籍していました。

一九八〇年代になると、読売ジャイアンツなら江川卓《えがわすぐる》氏や原辰徳《はらたつのり》氏らに加え、ロイ・ホワイト氏やウォーレン・クロマティ氏、あるいはビル・ガリクソン氏などのアメリカ人選手も活躍しました。また、ライバルの阪神タイガースにはランディ・バース氏がおり、一九八五年には、チームを初の日本一に導きました。

この一九八〇年代、私も日本のプロ野球をたびたび観戦しました。しかし、アメリカのメジャーリーグに比べると、まだまだレベルは低かったと思います。その証拠に、一九八〇年代から九〇年代にかけて、毎年シーズンオフになると日米野球が行われていましたが、セ・パ両リーグのスター選手で構成された日本チームは、観光気分でやってきたメジャーリーガーに歯が立ちませんでした。

しかし、一九九五年に近鉄バファローズ（現・オリックス・バファローズ）のエース、野《の》茂《も》英雄《ひでお》氏がロサンゼルス・ドジャースに入団して大活躍すると、その後、横浜ベイスターズ（現・横浜ＤｅＮＡベイスターズ）の佐々木主浩《ささきかづひろ》氏、オリックス・ブルーウェーブ（現・オリックス・バファローズ）のイチロー氏ら、日本を代表する選手がメジャーリーグに挑戦するようになりました。するとアメリカは、日本人選手のレベルの高さに驚いたのです。

ワールド・ベースボール・クラシック（ＷＢＣ）では、第一回大会となる二〇〇六年と第二回大会となる二〇〇九年に連続で優勝しました。日本人の特性を活かし、盗塁やヒットエンドラン、あるいはスクイズバントなどの細かいチームプレーを実践、スモールベースボールを駆使して優勝したのです。

野球一つをとっても、日本は、本家を凌《しの》ぐ独特の進化を遂げました。その「ベースボール」ではない「野球」を都心の東京ドームや明治神宮球場で手近に観られることも、いまでは私が日本に住み続ける理由の一つになっています。

## ＊日本型テレビ番組に鍛えられて

日本では、テレビ業界も、独自に進化を遂げました。

戦後、プロレスラーの力道山《りきどうざん》の試合を観るため、たくさんの人が街頭テレビに集まっていた写真を見たことがあります。白黒テレビは冷蔵庫や洗濯機と合わせて「三種の神器」といわれ、誰もが欲しがった時代。一九六四年の東京オリンピックを機に、テレビは一気に普及しました。

テレビ業界がピークを迎えたのは一九八〇年代ではないでしょうか。そのころの代表的な番組といえば、土曜の夜八時に放送されていたザ・ドリフターズの「8時だョ！全員集合」（TBS系列）と、ビートたけし氏や明石家《あかしや》さんま氏ら錚々たる芸人が出演した「オレたちひょうきん族」（フジテレビ系列）です。両番組は激しい視聴率争いを繰り広げていたため、当時を振り返るときに「土八戦争」という表現をする人がいます。

一九八〇年代の日本のテレビ、特にバラエティ番組は、本当に面白かった。テレビ黄金期といっても良いでしょう。

私がテレビに出始めたのも、そんな時代です。最初にレギュラーになった番組は、大橋巨泉《おおはしきょせん》氏が司会を務めたクイズ番組「世界まるごとHOWマッチ」（TBS系列）。この番組に出演していなかったら、私はごく普通の在日アメリカ人として、法律事務所で働いていたことでしょう。

「世界まるごとHOWマッチ」に出演するようになったきっかけは、劇団の舞台に出演したことです。東京には、「Tokyo International Players（東京インターナショナルプレーヤーズ：TIP）」という、一八九六（明治二九）年から続いている外国人ばかりが所属する劇団があります。ここでは当然、舞台は英語で行います。

一九八三年一月のこと、TIPは、フランスの劇作家モリエールの喜劇の上演を決めていました。しかし、青年役を演じる予定だった俳優が、直前になって、奥さんの出産のために出演を辞退してしまいました。そこで演出を担当していた友人が、私に「代役として出演してくれないか」と頼んできたのです。

私は高校時代に演劇部に所属していました。もともと演じることは大好きでしたし、当時は法律事務所での仕事も安定していたので、「まあ、良い経験にはなるだろう」くらいの気持ちで引き受けたのです。

このTIPには、のちに私が所属することになる外国人タレント事務所の代表も所属していました。すぐに私たちは仲良くなり、私はタレントとして、彼の事務所の仕事を手伝うようになりました。初めての仕事は、アメリカ向けのビデオの仕事。英語で日本の商品を紹介しました。

その後、私が日本語を話せるということで、テレビ番組の出演依頼が届くようになりました。最初に出演した番組はＴＢＳ系列の二時間ドラマ「ザ・サスペンス」で、松本清張《まつもとせいちょう》原作の『ゼロの焦点』のドラマ化作品でした。しかも相手役は、当時もいまも素敵な竹下景子《たけしたけいこ》さん――。

初めてのテレビ出演、しかも大物女優との共演ということで、撮影当日は緊張しながらも、張り切って演じました。

でも放送を見たらガッカリ……なぜなら私の背中しか映っていなかったからです。ほとんど声の出演だけとなりました。

「世界まるごとＨＯＷマッチ」の出演依頼が届いたのは、その直後です。世界各国の品物などの値段を当てるクイズ番組で、番組開始当初は、パンアメリカン航空顧問のデビッド・ジョーンズ氏が出演していました。そして私も準レギュラーの外国人として出演するようになったのです。

その後も、関口宏《せきぐちひろし》氏が司会を務める情報番組「サンデーモーニング」（ＴＢＳ系列）や、大河ドラマ「山河燃ゆ」（ＮＨＫ）など、一九八〇年代から九〇年代にかけて、多くの番組に出演させてもらいました。

そういえば、「世界まるごとＨＯＷマッチ」に初めて出演する直前には、番組スタッフから、以下のようなアドバイスを受けました。

「値段を当てることよりも、司会者とのやりとりや、値段を推測した際の根拠、外れたときの言い訳などを面白くしてください」

そのときは、「正解なんてできっこない」といわれているような気がしましたが、出演を続けるうちに、スタッフのアドバイスが的確なものだったと思いました。というのも、私がジョークや皮肉をいうと、司会の大橋巨泉さんが面白おかしく話を広げてくれるのです。そして、番組観覧者たちが大きな声で笑ってくれる。きっとお茶の間の皆さんも笑ってくれていたことと思います。

こうして私は、すぐに、人を楽しませることに喜びを感じるようになりました。

その思いは現在も変わりません。近年、私は講演会などで日本の問題点を指摘するとともに、日本がいかに素晴らしい国であるかを語っています。すると「目から鱗《うろこ》が落ちた」とか「日本人で良かった」といってくれる人がたくさんいます。そのたびに私は大きな喜びを感じるのですが、それは独特の進化を遂げた芸能、すなわち「日本型テレビ番組」が、私を鍛えてくれたからなのです。

## ＊江戸時代の庶民のレベルの高さ

日本のテレビ番組、特にバラエティ番組は、世界から注目され、番組フォーマットの輸出も行われています。

そうした例を挙げるなら、古い番組なら「加トちゃんケンちゃんごきげんテレビ」の「おもしろビデオコーナー」や「痛快なりゆき番組 風雲！たけし城」（たけし城）（ともにTBS系列）、近年の番組なら「￥マネーの虎」（日本テレビ系列）や「SASUKE」（TBS系列）、「run for money逃走中」（フジテレビ系列）など。日本で打ち切りになった「料理の鉄人」以外にも、「SASUKE」や「たけし城」のアメリカ版が大人気です。

しかも、「アメリカ横断ウルトラクイズ」は、現在、アメリカの様々なリアリティ番組の原点になっています。

テレビ一つとっても、やはり日本は凄い。私もその凄いテレビ業界で活躍できたことを誇りに思っています。

そういえば二〇〇八年、総理に就任したばかりの麻生太郎《あそうたろう》氏は、九月二九日の本会議における所信表明演説で、以下のように語っていました。

「日本は明るくなければなりません。幕末、わが国を訪れた外国人という外国人が、驚嘆とともに書き付けた記録の数々を通じて、私ども日本人とは、決して豊かでないにもかかわらず、実によく笑い、ほほ笑む国民だったことを知っています。この性質は、いまに脈々受け継がれているはずであります。よみがえらせなくてはなりません」

日本には、江戸時代から、落語人気で笑いの文化が根付いていました。人を楽しませることも、人に楽しませてもらうことも大好きなのですが、これもまた日本の魅力の一つ。

たとえば幕末、アメリカのマシュー・ペリーが日本に開国を迫り、浦賀水道に四隻の黒船に乗って現れました。慌てふためく幕府の重鎮《じゅうちん》たち……しかし、それを尻目に庶民のあいだでは、こんな狂歌《きょうか》が流行《はや》りました。

「泰平の眠りを覚ます上喜撰《じょうきせん》　たった四杯で夜も寝られず」

当時の最高級茶「上喜撰」と「蒸気船」をかけているわけですから、庶民のユーモアのレベルがいかに高かったかが偲《しの》ばれます。

ただ、いまのテレビで残念なのは、報道番組や情報番組のあり方です。とにかく左傾化が凄まじく、毎年、八月一五日の終戦の日が近づくと放送される戦争関連の番組では、日本の責任ばかりが追及され、見ていると暗い気分になります。

また国会で特定秘密保護法や平和安全法制が議論されていたときは、反対派の識者ばかりを番組に出演させていました。こうして「戦争をする国になる」と情報弱者の高齢者や主婦層を騙《だま》し続けていたのです。また、「朝日新聞」が火を点けた森友《もりとも》・加計《かけ》学園問題に油を注いだのもテレビです。

とにかく安倍政権が行うことは何でも反対、根拠がなくても批判ばかり……昨今のテレビは酷《ひど》いの一言です。

テレビは国民の財産たる電波を使って放送しているわけです。だからこそ、放送法第四条にある通り、〈政治的に公平〉に、〈報道は事実をまげない〉で、〈意見が対立している問題については、できるだけ多くの角度から論点を明らかに〉してもらいたいものです。

最後にテレビについてもう一点。アメリカ人の私は、日本のいわゆるトレンディドラマに日本らしさを感じます。

主人公の男性と女性がいる。どちらかがさっさと自分の思いを伝えてしまえば、ドラマは一回で終わるはずです。しかし、いつまでも思いを伝えずに、一クール一三回にわたって引っ張ります。アメリカ人の私からすると「さっさと告白しなさいよ」と突っ込みたくなります。

……すみません、やはり私は、日本に住むのが好きな、アメリカ人ですね。

# 第4章　アメリカが失った自由があるから

## ＊アメリカの行き過ぎた言葉狩り

現在、アメリカでは、分断政治の一環として、主に民主党や左派は、ポリティカル・コレクトネス（ＰＣ）を推し進めています。ＰＣとは、性別・性的指向・人種・民族・宗教などに基づく差別・偏見を防ぐ目的で、政治的・社会的に公正・中立な言葉や表現を人々に使用させることです。ところが逆に、これによって国民の言論が弾圧されています。

確かに差別的表現はあってはならないことです。しかし、その考えが行き過ぎており、いまや言葉だけではなく、リベラル（もしくは左派的）思想以外の意見を述べることを制限する社会になってきているのです。その点、日本はアメリカほど酷《ひど》くありません。

アメリカ合衆国憲法の修正条項第一条では、言論の自由を謳《うた》っています。にもかかわらず、現在のアメリカでは、自由そのものが消失しつつあるように感じます。

アメリカの大学で、教授たちは表現の自由や言論の自由の重要性を説きます。しかし日本同様、教授たちは左傾化しています。映画界やメディア界とともに、大学界もリベラル勢力に乗っ取られたといって良いでしょう。

こうした大学のリベラル勢力は、保守派の教授の言論の自由を奪っています。保守派の教授が講義できないよう、大学内で工作活動をしているのです。「私たちのキャンパスで保守派の教授に講義させることは許さない」と訴える教授まで出現しています。これこそ、まさに言論弾圧ではないでしょうか。

それは保守派の政治家に対しても同様です。二〇一七年五月、インディアナ州サウスベンドのノートルダム大学で卒業式が行われました。式の途中、来賓《らいひん》として出席していたマイク・ペンス副大統領が祝辞を述べようとしたところ、なんと数十名の卒業生と一部の保護者が席を立ち、次々と退出していったのです。

ノートルダム大学はカトリック教会が創設した名門大学で、ペンス氏は敬虔《けいけん》なクリスチャンです。にもかかわらず、このようなことが起きました。退出していった学生たちは完全にリベラルな思想に染まっていたのでしょう。保守派の政治家のスピーチなど聞く耳を持たない、ということでしょうか。

このときは、ペンス氏のスピーチが中止に追い込まれなかっただけ、まだマシなのかもしれません。が、ペンス氏ご本人、そして会場にいたそのほかの卒業生たちは、さぞかし気分が悪かったことでしょう。

リベラルとは自由主義者という意味です。しかし、人の言論の自由を奪う連中のどこが自由主義者なのか、私には理解できません。むしろ、一種のファシズムだと思います。

こんなリベラル勢力が主導するＰＣによって使えなくなった言葉がたくさんあります。

私が子供のころのアメリカでは、黒人を「ニグロ」と呼んでいました。しかし、リベラル勢力がそれは差別的だと主張し、「ブラック」と呼ぶようになりました。それすら嫌がる人もいて、現在では「アフリカン・アメリカン」と呼ぶのが無難です。

しかし、すべての黒人がアフリカから来たわけではないので、こんな呼び方をするのはどうかなと思います。

また、かつてはアメリカの先住民を「インディアン」と呼んでいました。これもまた差別的だといわれるようになり、現在では「ネイティブ・アメリカン」と呼んでいます。野球のメジャーリーグには、クリーブランド・インディアンス、アメリカンフットボールのNFLにはワシントン・レッドスキンズというチームがありますが、差別的なチーム名だから変えるべきだと訴えている人もいます。

一方、日本にも、やはり同様の言葉狩りがあります。その大半は、韓国・朝鮮人と中国人に対する言葉です。

その代表的なものといえば「支那《しな》」でしょう。中華人民共和国について、私は本書では便宜上《べんぎじょう》、「中国」という言葉を使っていますが、やはりこう呼ぶのには抵抗があります。なぜなら日本語で「中国」といえば、本来は、鳥取県、島根県、岡山県、広島県、山口県を指すはずなのですから。

中国を英語ではChina（チャイナ）、フランス語ではChine（シーヌ）、イタリア語ではCina（チナ）、スペイン語ではChina（チナ）と呼びます。同様に、日本もかつては支那と呼ぶのが一般的でした。しかし、なぜかそれが差別だという……結果、最近は「支那そば」や「支那竹《しなちく》」という言葉まで使われなくなりました。反発してわざわざチャイナと呼ぶ人もいますが。

元東京都知事の石原慎太郎《いしはらしんたろう》氏を筆頭に、支那は昔からの呼び名だから問題ないと主張している人たちもいます。ところが歴史の教科書では「中国」と書かれ、テレビや新聞も「中国」を使っている。いまの若者は、「支那」という名称の存在さえ知らないのではないでしょうか。

このように、日本にも言葉狩りが存在しています。二〇一九年九月には、「週刊ポスト」（小学館）が「韓国なんて要らない」という記事を掲載。すると、内容が差別的だといって大問題になり、結果、同誌は謝罪する羽目《はめ》になりました。

これらのケースについて、とやかくいうつもりはありません。ただ、リベラル勢力による言葉狩りであることは明白です。アメリカのように何でもかんでも差別だといわれるようにならないよう、こうした言葉狩りには気を付けたほうがいいと思います。アメリカが失った自由の味を、私はこの日本で楽しみ続けたいからです。

## ＊メリー・クリスマスといえない理由

アメリカ合衆国は白人のキリスト教徒が中心となって形成されました。イギリス系、ドイツ系、アイルランド系、イタリア系、北欧系などが、時代によってアメリカ各地に植民しました。多くのユダヤ人もヨーロッパ各地からアメリカに集まりました。

黒人は主に奴隷《どれい》として、一六〇〇年代から連れてこられました。現在では黒人やヒスパニックのほか、アジア系やイスラム系など、多くのグループが混在しています。

すると リベラル勢力は、白人以外のグループに配慮すべきだと訴え始めました。

また、アメリカでは大統領が就任する際、聖書に手を置いて宣誓するのも、キリスト教国家だからです。ところが現在、キリスト教以外の宗教を信仰する人にも配慮すべきだ、とリベラル勢力は訴えています。

この件は私の友人である「テキサス親父《おやじ》」こと評論家のトニー・マラーノ氏がユーチューブで問題視しています。氏によれば、近年のテレビでは「メリー・クリスマス」とはいえないのだそうです。なぜならキリスト教徒以外の人たちに対する配慮が足りない、と批判されることになるから……しかも、こうした状況に白人やキリスト教徒が反発すると、差別主義者やレイシストだと決め付けられてしまいます。

これはＬＧＢＴなどに対しても同様です。性的マイノリティへの配慮を訴える声が多くありますが、それがどんどんエスカレートしています。結果、いまカリフォルニア州では、公共機関を中心に男女共用トイレが増えています。これもＬＧＢＴなどへの配慮なのだそうです。

百歩譲って、こうした動きがあっても良いとしましょう。しかし、アメリカでは言論の自由が認められているのですから、「男女共用トイレはおかしい」「女性が危険な目に遭う可能性が増える」という声を上げても良いはず。ところが一度そんなことをいったら、さらに激しく「性的マイノリティへの差別だ」と批判されます。

だからみな黙るしかない。バラク・オバマ大統領の政権下の八年間で、こうした傾向はどんどん強くなりました。

当然、そうした社会に嫌気《いやけ》が差した人も増えています。ＰＣの行き過ぎを恐れずに批判するドナルド・トランプ大統領が誕生した理由の一つは、この辺りにあるのだと思います。同時に、それはトランプ大統領を嫌う理由にもなりますが。

それに比べると、まだまだ日本の言論環境は正常に近いといえましょう。「安倍総理は言論を封殺している」などと紙面で叫び続ける「朝日新聞」も、日々正常に刊行され、かつ消費税では軽減税率の適用まで受けているのですから。

## ＊アメリカで黒人学生が中退すると

一六二〇年、イギリスから現在のマサチューセッツ州に渡った「ピルグリム・ファーザーズ（清教徒）」は、宗教の自由を新天地に求めました。しかし実際には、異なった宗派に対し、むしろ排他的でした。時を同じくして、主に経済的な豊かさを求め、多くの人がアメリカ大陸に渡ってきました。

そうして彼らは一三の植民地を創設し、一七七六年七月四日に独立宣言を発表、イギリスと戦って独立を勝ち得ました。その後、一七八八年には、アメリカ合衆国憲法が成立しました。

ピルグリム・ファーザーズが来る少し前の一六〇七年、最初の植民地がジェームズタウン（現在のバージニア州）に創設されました。そして一六一九年、初めて黒人奴隷が、このジェームズタウンに上陸しました。以後、南部全域にわたって、奴隷制度が広がります。

黒人奴隷は人ではなく、主人の財産でした。人権もありません。

このような奴隷制度に対し北部の人々は反対していましたが、南部の経済は黒人奴隷の労働に依存していました。こうして南北の対立が激しくなり、一八六一年、南部の一部の州が合衆国から離脱を試み、南北戦争が勃発《ぼっぱつ》しました。

その戦争中の一八六三年、離脱を宣言していた州の奴隷を、エイブラハム・リンカーン大統領が大統領令で解放しました。そして終戦後、憲法修正第一三条で奴隷制度が廃止され、修正第一四条では、元奴隷は市民権を獲得し、権利章典に載っていなかった「平等」という権利が保障されました。また修正第一五条で、元奴隷に選挙権が与えられました。

しかしそれから約一〇〇年、アメリカ南部では、事実上のアパルトヘイト状態が続きました。トイレは別、プールも別、レストランの入り口も席も別、バスでも前方の席は白人専用でした。

また、学校も完全に別々でした。しかし、私が二歳だった一九五四年に、「分離すれど平等」という哲学から、最高裁の判決で、白人と黒人の学校を別々にすることが禁止されました。そして、そのころから公民権運動が盛んになり、私が中学二年生だった一九六四年、連邦公民権法の制定によって、人種、宗教、性別、出身国による差別が完全に禁止されたのです。

しかし三五〇年にもわたる差別は、法律を一つ作っただけで、そう簡単になくなるものではありません。差別意識を一世代や二世代だけで完全になくすのは不可能です。当然、いまだに差別意識を持っている人たちがいます。彼らは「レイシスト」と呼ばれています。

ちなみに、アメリカ先住民が市民権を獲得したのは一九二四年でした。ただ、この年に成立した移民法では、日本人移民の市民権獲得は禁止されました。日系二世はアメリカで生まれたので、自動的にアメリカ人になりましたが、一世は市民権をもらえなかったのです。そして第二次世界大戦後の一九五二年になって、やっと一世の日系人も市民権を獲得できるようになりました。

以上のように、アメリカは、人種による差別をなくすために様々な努力をしてきたのです。しかし、その努力の結果をリベラル勢力が利用し、社会を混乱させています。

現在の歪《いびつ》なアメリカ社会は、民主党を中心とするリベラル勢力が作ったものです。彼らは国民をいくつもの少数派に分断し、それぞれを被害者として政府に依存させています。いってみれば、「被害者ビジネス」を行うグループを政治基盤にしているのが民主党なのです。

たとえば民主党が共和党を批判するとき、共和党の議員は金持ちばかりだと批判します。そうして低所得者層の票を得ようとします。しかし実際には、民主党議員の所得のほうが共和党議員よりも高い……弱者を装いながら、共和党が富を独り占めしているかのような印象操作をしているだけなのです。

アメリカで黒人の高校生が学校を中退した場合、以下のようにいって慰めることがあります。

「お気の毒に……昔、白人が黒人を奴隷にしたのが悪いんだよ」

こんな訳の分からない理屈が通用してしまう、それがいまのアメリカ社会。そしてリベラル勢力の目的は、人種や経済的階級による国家の分断なのです。

しかし、建国後にやってきた移民たちは、アメリカに溶け込もうと努力してきました。イタリア系移民もアメリカ人として、星条旗に忠誠を誓っています。それは日系人も同様。第二次世界大戦では、日系アメリカ人によって構成された第四四二連隊戦闘団がヨーロッパ戦線で勇敢に戦い、多くの勲章を受けたものの、死傷率は他部隊の約三倍でした。

近年のアメリカでは、ヒスパニックに多くの特権が与えられています。たとえば生活保護を受けるヒスパニックは、そうした政策を推進する議員や活動家に票やお金を投じるのです。

しかし、共和党のトランプ大統領が就任してから、規制緩和と減税、そして様々な政策を実行したことによって、マイノリティの経済状況が改善されています。黒人、女性、ヒスパニックの失業率は五〇年ぶりの低水準になっているのです。

実際、フードスタンプ（困窮者のための食品割引券）などの生活保護を受給する人も、約三〇〇万人減りました。また、雇用者は七〇〇万人も増加し、就業率は史上最高値を更新しています。株価も最高値を更新しました。分断政治を進めている民主党は、これらをなんと説明するのでしょうか。

一方、最近の日本も分断政治に染まっています。沖縄、アイヌ民族、ＬＧＢＴの問題が大切であることはいうまでもありません。しかし、毎年のように新宿二丁目で行われるＬＧＢＴの人たちによるレインボーパレードに対し、私の同性愛者たる友人は、「私たちを政治利用しようとしているのだとしたら大きな迷惑だ」と話していました。というのも、無責任な野党議員が、わざと目立つように練り歩いているからです。

慰安婦問題に代表されるように、日本にも、被害者ビジネスでお金を儲《もう》けている「反日日本人」がいますが、被害者ビジネスを放置すると、国家は確実に混乱します。

今後、日本では、外国人がどんどん増えるでしょう。そうした外国人を奴隷のように扱うのはもってのほかですが、かといって特権を与えてはいけません。アメリカを反面教師に、過度なマイノリティ保護がまかり通らないようにしなくてはならないのです。

マイノリティたる私は、そう主張する権利があると思います。そして、この大好きな国の自由をエンジョイし続けたいと思います。

## ✳アメリカの自由を奪う勢力の正体

ここまで述べてきたように劣化しつつあるアメリカでは、言葉狩りだけではなく、特にリベラル勢力が牛耳《ぎゅうじ》っている州や市では、くだらない規制がどんどん増えています。

あれをしてはダメ、これをしてはダメといわれてばかりでは、社会が息苦しくなるのも事実です。プラスチックのストローを禁止している場所すらあるのですから。また、二〇二〇年の大統領選挙に立候補したマイケル・ブルームバーグ氏がニューヨーク市長だったときには、市民の肥満を減らすためと称し、清涼飲料の販売を禁止しようとしたこともありました。

アメリカでは、このような国家を指し、「ナニー・ステート（Nanny State）」と呼んでいます。その意味は「過保護な国家」。ナニーはフルタイムのベビーシッターです。要は国があれもこれも禁止にするのは、大事に大事に赤ちゃんの面倒を見ているナニーのようだ、ということです。

このように、いまアメリカ人はがっちり締め付けられています。たとえばチャイルドシート。カリフォルニア州ではチャイルドシートを購入して二年経ったら、必ず新しい物に買い換えなければなりません。二年するとプラスチックが劣化して壊れるかもしれないというのが、その理由です。

しかし、劣化したかどうかは自分で確認すれば良いわけで、州が二年ごとの買い換えを義務付けるべきものなどではありません。住民にそんな無駄なお金を使わせるなら、どこかに寄付させたほうがよっぽど良いでしょう。

さらにおかしいのは、たとえばハワイ州では、身長四フィート九インチ（約一四四・八センチ）未満の人は、年齢を問わずチャイルドシートに座らなくてはならないということ。まったく意味が分かりません。

赤ちゃんがチャイルドシートに座るのは分かります。しかし大人には、自分で自分の安全状態を選ぶ権利があるべきではないでしょうか。

このように、アメリカ、特にカリフォルニア州などリベラルなエリアでは、訳の分からないルールが義務付けられて、住民はどんどん自由を失っています。

ナニー・ステートでのこうした動きも、やはりリベラル勢力が先導しています。元を辿《たど》れば一九六〇年代後半に現れたヒッピーたちに行き着くのですが、バラク・オバマ前大統領やビル・クリントン元大統領らも、ヒッピーカルチャーの影響を受けています。

ヒッピーはアメリカの伝統や文化を否定しました。ベトナム戦争に反対し、昼間から広場に集まってはドラッグに耽《ふけ》り、ただ自由だけを訴えたのです。

そんな連中が、いま国民から自由を奪っている……これは何かのジョークでしょうか？

現在、日本でもナニー・ステート化が始まっているように感じます。アメリカと同じように少しずつ少しずつ国民への締め付けが進み、気が付いたら雁字搦《がんじがら》めにされていた……そんなことにならないように、日本人も覚醒すべきでしょう。

## ＊アメリカにも蔓延る自虐史観

さて七月四日は、アメリカ独立記念日です。毎年、各地で大きなイベントが開催されます。トランプ政権では、二〇一九年の独立記念日に軍事パレードが計画されました。すると民主党やリベラル勢力は、独立記念日の直前になって、「トランプ大統領の政治集会になりそうだから、イベントは中止しろ」と訴えました。

一方、スポーツ用品メーカーのナイキは、アメリカ独立記念モデルとして、踵《かかと》の部分に旧星条旗をあしらったスニーカーを発表しました。旧星条旗とは独立戦争時代の星条旗で、ベッツィ・ロスという女性が作成したといわれています。星の数は現在の五〇個ではなく一三個です。

するとリベラル勢力は発売を中止するよう声を上げました。アメリカンフットボールのサンフランシスコ・フォーティナイナーズの元選手、コリン・キャパニック氏も「一七七〇年代の星条旗は奴隷時代を思い起こさせる」などと述べていました。結果、ナイキは発売中止の決断を下したのです。

逆に共和党の上院議員、テッド・クルーズ氏はナイキの決断を嘆き、「私はアメリカを愛している。国歌を支持し、国旗を敬う。国を守るために戦った男女を称えます」と表明しました。そして最後に「今後、ナイキの製品は購入しない」と付け加えたのです。

このように、黒人差別などを理由に、アメリカの歴史に否定的な意見を述べる国民が増えています。オバマ前大統領もその一人。若いころからシカゴにあるブラック・リベレーション・セオロジー（黒人解放神学）の教会に通っており、ミシェル夫人との結婚式もこの教会で挙げました。

ただ、このブラック・リベレーション・セオロジーは反米的な姿勢をとっています。牧師のジェレマイア・ライト氏は、二〇〇一年九月一一日のアメリカ同時多発テロに対し、「America's chickens are coming home to roost.」といった人物です。直訳すると「鶏《にわとり》はねぐらに帰ってきた」ですが、ニュアンス的に「自業自得《じごうじとく》」や「身から出た錆《さび》」に近い。要はテロリストではなく、アメリカを責めているわけです。

これは、まるで日本の左翼のようです。つまり、アメリカにも自虐《じぎゃく》史観はあるということでしょう。「世界で戦争ばかりしてきたアメリカは悪い国だ」と考えるアメリカ人も、たくさん存在するのです。

過度なマイノリティ保護や、それを批判することを許さない言葉狩りが年々酷《ひど》くなっているのはここまで述べてきた通りですが、アメリカでは、かつて世界に誇った自由も誇りも失われようとしています。

一方の日本では、まだ私が息苦しさを感じるようなことはありません。二〇一八年一〇月に「ニューズウィーク日本版」が「ケント・ギルバート現象」という特集を組み、二〇一七年の新書売上一位を記録した拙著『儒教に支配された中国人と韓国人の悲劇』（講談社）を批判的に扱いました。ただ、綿密に取材されており、むしろ私は好感を覚えたほどです。

そう、日本のリベラル勢力は、アメリカに比べたら、まだ「まとも」です。もちろん、「朝日新聞」を除いて。私は今後とも日本に住み続け、左翼の人たちと論争をしていきたいと思います。

# 第5章　間違いなく世界一の食があるから

## ✻懐石料理は食事ではなく芸術鑑賞

日本人のあなたはアメリカの食事に対してどんなイメージを持っているのでしょうか？おそらくボリュームのあるステーキ、クリスマスの七面鳥《しちめんちょう》料理、それにマクドナルドやケンタッキーフライドチキンなどのファストフード……すなわち肉料理が中心で、ボリュームがある代わりに手の込んだ工夫《くふう》が少ないといったイメージなのではないでしょうか。

そしてアメリカを訪れた観光客の多くは、アメリカの食事は美味しくないといいます。また、ハワイに行ってマクドナルドの店舗を見て、「あら！　日本の料理がアメリカにもある」などと勘違いする人もいます。

よくいえばアメリカ料理は単純明快で素朴、大陸的でワイルドな味。悪くいえば大雑把《おおざっぱ》でデリケートさに欠ける。確かにアメリカ料理はそんな感じです。

というのもアメリカでの食事の大原則は、たらふく食べられる量があることが重要。お陰さまで二〇一八年の統計では、アメリカ成人の約三分の一は肥満です。これは重大な健康問題です。

そのため、私が初めて懐石《かいせき》料理を食べに連れていってもらったときには失敗してしまいました。出てきた器《うつわ》の美しさや、その素晴らしい器の上に載せられた鮮《あざ》やかな料理にすっかり魅了され、思わず「なんて素晴らしいオードブルなんだ。これだと、メインディッシュにはどんなものが出てくるか楽しみですね」といってしまったのです。

当然、周囲の日本人はみな大笑い。「これを腹一杯食べたら、お腹よりも財布のほうがパンクしちゃうよ」などといって囃《はや》し立てました。

この懐石料理の量では日本人でさえ腹一杯にならないのだから、体と胃袋の大きい私などは、腹八分目どころか腹五分目でした。懐石料理とは、食事ではなく、一種の芸術鑑賞なのだと考えることにしました。

そのときに同行した日本人の友人によると、日本食では料理の味はもちろん、香りや出来上がりの色や形の美しさが大切にされる、とのこと。その意味では、西洋料理のなかではフランス料理に近いのかもしれません。

以前、寿司職人のドキュメンタリー番組を見たことがあります。職人の仕事は、新鮮なネタを仕入れて寿司を握るだけではありません。何日のあいだ冷蔵庫で寝かせると最も美味しくなるのか、どう切れば食感が良くなるのか、常に研究を続けているというのです。

また私が感動したのは、寿司の提供の仕方。高級店はカウンター越しで客に寿司を提供しますが、この寿司職人は、握った寿司を客の皿に置くときに、どの角度で置くと最も美しく見えるのか、そこまで研究していたのです。味だけでなく見た目まで追求する……さすが日本の職人だと思いました。

ただ近年、アメリカの食事も、富裕層を中心に変わりました。健康食ブームが続き、自然食品と呼ばれるものを選ぶようになりました。だからお金持ちほど、スリムな体つきをしているというわけです。

逆に安価なスーパー「ウォルマート」や「コストコ」で買い物をする低所得者層には肥満の人が多く、彼らは「People of Walmart（ウォルマートの人々）」というサイトでしばしば取り上げられています。

健康食とは、低カロリー、低脂肪、高たんぱく質の食品が主になります。豆腐や魚料理が中心の日本食は、まさにこの条件にぴったり。そこで、健康食ブームが自然と日本食ブームにつながりました。そしていままでは、すっかり日本食がアメリカにも定着したのです。

かくいう私も日本食は大好きで、苦手なのは納豆とワサビくらいのものです。何ですって？　やっぱり日本人とは大違い？　たぶん、あと二〇年くらい日本に住めば、そうした食品も、「美味しい美味しい」といって食べているはずですよ。

## ❇寿司とSUSHIはまったく別物

日本食といえば寿司、天ぷら、すき焼きなどいろいろとあります。在日アメリカ人の多くは、明治時代に伝わったトンカツも歴《れっき》とした日本食だと思っています。そんな日本食を愛したセレブもたくさんいます。

たとえば喜劇王チャールズ・チャップリン。彼は東京・日本橋の天ぷら屋さん「花長《はなちょう》」がお気に入りで、海老の天ぷらを三六尾も食べたという逸話《いつわ》が残っています。また、ビートルズの一員だったジョン・レノンは鰻重《うなじゅう》が大好物。東京・神楽坂《かぐらざか》の鰻屋《うなぎや》さん「たつみや」にも来店したといいます。

このように欧米人には、日本食ファンが大勢います。

納豆やイカの塩辛など一部の食品を除けば、日本食は受け入れやすい物ばかり。タイ料理や韓国料理のように辛くもなく、香りも強くない。出汁《だし》を活かした優しい味の料理が多いし、油っぽくもない。揚《あ》げ物の天ぷらでさえ、素材は魚介類と野菜ばかりだし、塩で食べたり、大根おろしと一緒に食べたりするので、胃にもたれません。だから欧米人も抵抗なく食べられるのです。

ちなみにアメリカでは断然、寿司が人気です。また、日本食はヘルシーでおしゃれな食べ物だと考えられており、セレブや高所得者にも人気です。

ただ、日本の寿司と欧米のＳＵＳＨＩはまったくの別物。ＳＵＳＨＩは裏巻き寿司が主流です。この裏巻き寿司とは、外側から白ゴマ、酢飯《すめし》、海苔《のり》、具の順になるように巻いたものです。具はカニ風味かまぼこやアボカド、キュウリなどを使うことが多い。店によってはクリームチーズを使っている場合もあります。これを日本人に教えると「気持ちが悪い」といわれてしまいますが……。

また、食べ方も日本とは違います。昼食時にニューヨークの日本料理店に行くと、ビジネスレディがペーパーバックを読みながら、焼き鳥と一緒にSUSHIを食べています。日本ではお寿司屋さんでそんな食べ方をする人はいないでしょう。加えて、こうした店は多くの場合、韓国人や中国人が経営しています。

それから余談になりますが、欧米人は緑茶を飲むときに、紅茶を飲むような感覚で砂糖を入れます。また、ペットボトルのグリーンティーにも、大半のものにミントが入っています。これも日本人は、やはり美味しくないと感じるようです。

このようにアメリカ人は、SUSHIも緑茶も、本場・日本とは違う楽しみ方をしています。日本人は、そんなものは邪道だと感じてしまうかもしれません。しかし、それでも食を通じて日本に好印象を抱いているわけです。本場の寿司を食べたいがためだけに、日本に旅するアメリカ人もいるほどなのです。

だからどうか、「アメリカのSUSHIは変だ」「アメリカ人は日本を分かっていない」などと責めないでください。ちなみに私もワサビが苦手なので……。

## ＊ウィリアム王子を魅了する日本食とは

日本食に魅了されているのは、チャップリンやジョン・レノンだけではありません。イギリスのウィリアム王子もその一人です。

二〇一八年六月、そのウィリアム王子とキャサリン妃が生活されるケンジントン宮殿のすぐそばに、「ジャパン・ハウス・ロンドン」が開館しました。ジャパン・ハウスとは、日本食を含む多様な日本の文化や魅力を発信することを目的とした施設。ロンドン、ロサンゼルス、サンパウロの三都市にあります。

このロンドンのジャパン・ハウスには、日本食レストラン「ＡＫＩＲＡ（明）」も併設されています。そして施設の開館式典には、ウィリアム王子ご自身が出席されました。このときの模様をファッションサイト「エル・オンライン」がリポートしています。

記事によれば、式典では「ＡＫＩＲＡ」が提供するお弁当を試食され、お寿司を召し上がりながら、料理長の清水明《しみずあきら》氏に「僕も妻も寿司が大好きなんです」と話されたそうです。また、日本語で「カンパイ！」と音頭《おんど》をとり、日本酒も堪能《たんのう》されました。

また式典では、ウィリアム王子が、ケンジントン地区にあるセント・マシューズ小学校からの子供たちとともに箸《はし》を使って枝豆をつまむゲームをされました。動画で見る限り、箸の使い方はお世辞にも上手とはいえませんでした。しかし、こうした王子のお姿は、日本を愛するアメリカ人としても非常に嬉しく感じられたと同時に、王子より上手に箸を使えて、毎日のように日本食を堪能《たんのう》している自分自身を、誇らしく思うことができました。

ちなみにウィリアム王子はローカルフードをテイクアウトするのがお好きで、なかでもカレーがお好みなのだそうです。小麦粉を入れた日本のカレーは、明治時代にイギリスから伝わったもの。ただし、日本ではその後、独自に進化しました。ぜひウィリアム王子には、次に来日されたときに、「カレーハウスＣｏＣｏ壱番屋《いちばんや》」のカツカレーを召し上がっていただきたい。あまりの美味しさに驚かれるはずです。

……などと考えているときに、びっくりするようなニュースが飛び込んできました。テニスのウィンブルドン大会の会場での食事に関するニュース――二〇一九年から売店のメニューに加えられた日本発の「カツカレー」が、いきなり一番人気になったのだそうです。あの、イギリス名物のフィッシュ＆チップスを抑えて。

いやはや、日本に住む私は、なんと幸せ者なのでしょう。

## ＊セレブはなぜラーメンを愛するか

現在、コンサートや映画のＰＲ、あるいはプライベートで、多くの海外セレブが来日しています。そして、その多くが舌鼓《したつづみ》を打っているのがラーメンです。

たとえばアメリカのロックバンド「エアロスミス」のメンバー、スティーブン・タイラー氏は、来日するたびに訪れるラーメン店が都内にあるといいます。加えてエアロスミスのメンバーは鯛焼《たいや》きが大好物。アメリカを代表するビッグバンドですが、意外と庶民的な味覚を持っていることに驚きました。

ラーメン通のミュージシャンはまだまだいます。「ボン・ジョビ」のジョン・ボン・ジョビ氏は東京・代々木に行きつけのラーメン店があり、「オアシス」の元メンバー、リアム・ギャラガー氏は博多《はかた》ラーメンが好きだといいます。このギャラガー氏は大の酒好きで、二〇〇九年に音楽番組「ミュージックステーション」（テレビ朝日系列）に出演した際、演奏前に司会のタモリさんに対して「日本酒が好きだ」と話していました。

マンチェスター・ユナイテッドやレアル・マドリードで活躍した元サッカー選手のデビッド・ベッカム氏もまた、大のラーメン通。二〇一八年にプライベートで来日した際には、東京・音羽《おとわ》の高級ラーメン店「ＭＥＮＳＨＯ」を訪問し、熟成和牛を載せたラーメンを食して大絶賛しています。

加えてベッカム氏は寿司も好きで、なかでもウニが大好物なのだとか。同じく二〇一八年の来日時には、東京・外苑前の「海味《うみ》」、築地の「大和寿司」（現在は豊洲市場に移転）と、お寿司屋さんをハシゴしました。それからベッカム氏は日本酒も愛しており、季節に合わせて「冷や」と「燗《かん》」を選ぶというから、相当な日本通です。

ラーメン好きといえば二〇一九年に引退した阪神タイガースの投手、ランディ・メッセンジャー氏も有名です。氏は二〇一〇年から一〇シーズンにわたって活躍し、シーズン中の遠征では、ラーメンを食べ歩いたのだそうです。お気に入りは横浜家系《よこはまいえけい》ラーメン。横浜遠征時には、横浜駅の近くにある「吉村家」に何度も足を運びました。

そんなメッセンジャー氏のお気に入りの食べ方は、チャーシュー以外の具材はすべて抜くこと。特にモヤシが入るとスープの味が変わるから嫌だというのだから、相当なこだわりです。ちなみに阪神タイガースの本拠地・阪神甲子園球場では、メッセンジャー氏が監修したラーメン「メッセの豚骨醤油《とんこつしょうゆ》ラーメン」を食べることができ、人気メニューだったといいます。

そのほかにもラーメンを愛するセレブは数多くいます。なぜ欧米人は、かくも日本のラーメンが好きなのでしょうか？　理由は人によって様々だと思いますが、ラーメン通のアメリカ人曰《いわ》く、味はもちろんのこと、一つの丼のなかに主食（麺）とおかず（具材）とスープが入っているのが魅力なのだそうです。

また、ほかのアジアの国々の麺料理と比べると見栄《みば》えが美しく、加えて辛くない。そして意外とさっぱりしているから、欧米人も美味しく食べることができる。だから近年、世界中に日本のラーメン店が開店し、どこもかしこも行列ができているのでしょう。

## ＊三つ星以上のトンカツ屋さん

日本の美味しいものは、ほかにもまだまだあります。そして、多くの欧米人もそれを知っている。もはや「日本食＝すき焼き＆天ぷら」の時代ではないのです。

前述のメッセンジャー氏と同じ阪神タイガースで活躍したクレイグ・ブラゼル氏やマット・マートン氏は「吉野家」の牛丼が大好物でした。映画俳優のトミー・リー・ジョーンズ氏は納豆や豆腐や鮎《あゆ》、ヒュー・ジャックマン氏は定食屋さんの定食、女優のリブ・タイラーさんはお好み焼き、それからフランスの女優、シャルロット・ゲンズブールさんは羊羹《ようかん》が好物で、数本ペロリと平らげてしまうのだそうです。

こうした情報はまだまだたくさんあり、とにかく日本の料理やお菓子など、ありとあらゆるものが、欧米人を虜《とりこ》にしているのです。

それから欧米人の多くはトンカツも好きです。もともと肉食文化なのに加え、欧米人は揚げ物もよく食べます。ただ、日本のトンカツが欧米の揚げ物と違うのは、衣はカラッとしているのに中身がジューシーであるところ。油ギトギトな欧米の料理とは別物です。

また、キャベツの千切りが添えられているので、さっぱりした食感も残ります。揚げ物とキャベツの組み合わせ、これこそ日本人ならではのセンスだと思います。

加えて、ソースをかけたトンカツは白米ともよく合います。きちんとした店で食べれば胃にもたれることもありません。

親日家で数年に一度コンサートで来日するミュージシャンのエリック・クラプトン氏は、原宿のトンカツ屋さん「福よし」に必ず行くのだそうです。ただし注文するのはチキンカツ、というオチが付きますが、実は先述のウィンブルドンのカツカレーのカツもチキン。イギリスのカツは通常、鶏肉を使うのです。

ちなみに私もトンカツが大好物。私の事務所がある東京・目黒には「とんき」という名店があり、近年は外国人観光客で溢《あふ》れています。ただ、私の一押しのトンカツ屋さんは同じく目黒の「かつ壱《いち》」です。

この店のトンカツはとにかく大きくて肉厚。料理に質より量を求めるアメリカ人向きです。ただし私は質も追求しますが、「かつ壱」では、そんな私の望みに合ったトンカツを食べることができるのです。これまで海外から来た知人を何人も「かつ壱」に連れていきましたが、みな口を揃えて「デリシャス」「トレビアン」と感動してくれました。

せいぜい一二〇〇円で友人たちを喜ばせることができる「かつ壱」は、私にとって三つ星レストラン以上の存在。「かつ壱」で友人が喜ぶたびに、私は日本に住んでいて良かったと実感します。

このように日本のレストランは、高級店も大衆店も、とにかく美味しい。街を歩けば名店ばかりです。

たとえば目黒を歩けばトンカツ屋さんのほか、ラーメン店や蕎麦屋《そばや》さん、あるいは定食屋さんやステーキ店にカレー店、そしてイタリアで食べるより美味しいイタリアンレストラン、中国で食べるより美味しい中華料理店があるのです。また、沖縄料理やお好み焼きの店もあります。こんな国がほかにありますか？

当然、欧米人は日本の食に夢中になっていきます。そして毎日、当たり前のように美味しい食事を摂っている日本人を羨《うらや》ましいと思っているのです。

その証拠に、私は年に何度かアメリカに帰国していますが、すぐに日本の食事が恋しくなってしまいます。そんな欧米人は、私だけではありません。

世界一の食があることも、当然、私が日本に住み続ける理由です。

# 第6章　都会の近くに海と山の美しい自然があるから

## ＊私の心を奪った福岡の街並み

宣教師として日本に赴任する前、ハワイでの語学研修中に、日本の風景写真をたくさん見せてもらいました。また、アメリカのテレビ番組で、日本の景色や街並みを見た記憶もありました。それが来日前の私の日本に対するイメージのすべてでした。

そのイメージとは、のどかな田園風景や、こぢんまりとして美しい木造の家並みなどです。とにかくすべてが落ち着いたムードで、とても素敵だった。しかし内心では、私が見た写真や映像はすべてPR用のもので、実際にはそんな場所は少ないだろうと思っていました。ところが実際は、日本中に、イメージ通りの素晴らしい景色があったのです。

私が所属していた福岡伝道部の本部は、純日本風の旅館だった建物を買い取って、そのまま利用していました。来日した初日、福岡空港から到着したときには既に夜も遅く、辺りは真っ暗でした。

七人の新人が来たというので、本来なら使っていない旅館のお風呂を沸かしてもらい、私たちは湯に浸りました。寒い福岡の夜、初めての「温泉」体験は感動的なものでした。毎日これならば幸せだと思いましたが、実は、お風呂はその日だけ……翌日からは寒い部屋のシャワーになりました。しかし、この経験から私は大の温泉好きになり、いまでは日本の代表的な温泉なら、ほとんど入ったことがあります。特に露天風呂が好きです。

日本での初日は、お風呂が終わると、そのまま寝室に直行。畳に布団《ふとん》を敷いて寝るのも初めての経験でしたが、旅の疲れから、心地よく眠ることができました。

翌朝、時差ボケのせいなのか、五時前には目が覚めました。布団を出て、寝室の円い窓の障子《しょうじ》を開けて外を見る。日本での最初の朝、私は目の前に広がった景色を見て息を呑みました。私がアメリカやハワイで見た写真や映像とまったく同じ景色だったのです。

伝道本部は、福岡市動植物園がある南公園のすぐ前、小高いところにありました。二階の窓からは黒く光る瓦《かわら》屋根の家が建ち並んでいるのが見え、木々の緑が零《こぼ》れんばかりに輝いていました。本当に感動的な朝でした。

「これから、ここで二年間暮らすのか。日本に来てやっぱり良かった。こんなに素敵な地だとは……」と、胸が熱くなったのを覚えています。

## ❄日本の大自然と食の関係

日本には、東京のような大都会に高層ビル群がある一方、都心から少し離れるだけで、雄大な自然がたくさん残っています。私は二年間の宣教師時代、そして二度目の来日で六ヵ月間、沖縄で生活してみて日本に惚《ほ》れ込み、もっともっと知りたくなりました。そこで沖縄から帰国する前に、三週間かけて少しずつ北上しながら、鹿児島、長崎、大阪、三重、東京などを観光しました。そうして最後に「さっぽろ雪まつり」を見て帰国しました。

ただ一つ後悔しているのは、靖国《やすくに》神社を参拝しなかったこと。当時は総理大臣が当たり前のように参拝していた時代です。しかし靖国神社の存在を知りませんでした。アメリカでいうアーリントン国立墓地のような場所だと知っていたら、必ず訪れていたはずです。

このときの旅で各地を見て回り、改めて日本に惚れ直しました。当時の日本はいまほど裕福ではなかったかもしれません。しかし、どこに行っても人々は温かく、景色は美しい。人類が理想とする国家の姿がありました。

そんな日本の夏は、しかし異常に暑く、場所によって冬は異常に寒い。台風もやってくるし、大きな地震もあります。非常に過酷な環境といえるのかもしれません。しかし、だからこそ春の桜並木や夏の海辺、秋の紅葉や冬の雪景色が大切に思える。四季折々の風景を楽しむことができます。また、火山活動があるからこそ、日本全国に温泉があるのです。

以前、あるタイ人が、こんなことを話していました。

「日本には四季があっていいですね。タイにも四季はあるのですが、日本の春夏秋冬とは違います。一つ目はレイニー・シーズン（雨季）。そして二つ目はホット・シーズン、三つ目はベリー・ホット・シーズン、四つ目はベリー・ベリー・ホット・シーズン、以上です」

つまり雨季以外には暑い季節しかないというジョークだったわけです。

もちろん暑い国だからこそ、タイにはプーケット島のような美しいリゾート地があるし、旧正月の水かけ祭り「ソンクラーン」のような楽しいイベントもあります。しかし彼もまた、四季折々の風景を楽しむことができる日本に魅了されていたのです。

また、日本食の魅力については第5章で述べましたが、日本には季節によって旬の食材があるのも素晴らしい。一年中、同じ食べ物ばかり……そんな国が大半なのに、日本は季節によっていろいろな食材が楽しめます。

春はタケノコや初鰹《はつがつお》、夏はスイカや桃、秋は秋刀魚《さんま》や松茸《まつたけ》、冬はズワイガニや鰤《ぶり》など、季節ごとに美味しいものがたくさんあります。これも日本に力強い自然が存在しているからであり、また四季があるからこそ可能になることなのです。

加えて旬の食材というわけではなくても、夏なら素麺《そうめん》や冷やし中華、冬なら鍋料理など、季節ごとに象徴的な料理があるのも嬉しい。夏バテ気味のときに冷たくさっぱりしたものを食べる。真冬には鍋を食べて冷えた体を温める。日本では、こうした料理を食べながら季節を実感することができるのです。

ただ味を楽しむだけではなく、食事から季節感も同時に楽しむ。それが日本食の大きな魅力であり、また自然溢れる日本だからこそ実現できることなのです。

## ❇街から海にも山にも簡単に行ける国

日本の自然の魅力といえば、美しい海と山を擁していることです。日本は島国で、太平洋にも日本海にも面しており、車に乗ればどこからでも数時間で海に行くことができます。夏には海水浴。海の家でビールを飲み、ビーチでスイカ割りをするのは、夏の風物詩です。ちなみに世界を見渡せば、内陸国が四八。つまり海のない国は意外と多いのです。日本近海で美味しい海の幸が獲れることだけをとってみても、海に囲まれた日本は恵まれた環境にあるといえるでしょう。

一方で日本には山もたくさんあります。国土の六一％が山地で、四七都道府県すべてに山がある。だからどこに住んでいても、その気になれば、すぐに山に行くことができます。夏はハイキング、冬はスキーなどを楽しめるわけです。国によっては、山はあっても一年中雪が解けなかったり、逆に雪が積もらなかったりすることもあるのだから、山にも四季がある日本は、やはり恵まれています。

そして何より富士山です。私は富士山ほど美しい山を見たことがありません。初めて見たときの感動は鮮明に覚えていますし、いまでも東京駅から新幹線に乗ると、三島駅を過ぎた辺りで右側を見てしまいます。天気が良いと、美しい富士山を拝めるからです。また、飛行機からもよく見えます。しかし不思議なことに、毎回、その富士山の風景が違うのです。

実は、私が住んでいる東京・目黒からは、葛飾北斎《かつしかほくさい》が描いた富嶽《ふがく》三十六景「下目黒」と同じ風景がいまも見えます。さすがに街は開発されていますが、空が澄んでいるとき、目黒通りのはるか奥に富士山が見えます。当然、この浮世絵の復刻版を購入して、わが家の玄関に飾っています。

余談になりますが、日本人は富士山と桜が大好きです。その気持ちは私にも分かります。富士山はめでたくて神々《こうごう》しい。桜は春の訪れとともに、パッと咲いてパッと散るのが儚《はかな》い――。

ちなみにアメリカでは新年度の始まりは一月（学年は九月）ですが、日本は四月です。したがって桜が咲くと、新しい年度が始まるのだなと実感します。国際社会と合わせて、九月を新学年の始まりにすべきだとの声もありますが、日本の入学式や入社式の季節に桜が咲かないのでは、やはり寂しい気持ちがします。

話を戻します。海にも山にも容易に行ける。だから日本ではマリンスポーツもウインタースポーツも盛んなのです。

都心部にはショッピングや夜景を楽しめるスポットがあり、京都や浅草などの歴史的な街もある。そして海にも山にも短時間で行けるし、季節によって様々な風景を楽しめる。これほど恵まれた国は、世界中でも日本だけでしょう。

## ❄外国で初めて山を見たアメリカ人は

海も山もあるのは日本の魅力の一つですが、アメリカにだって両方とも備わっています。ただ日本との決定的な違いは、アメリカの国土はとにかく広大だということ。カンザス州やネブラスカ州など、内陸の州に住む人が車で海に行こうと思ったら、何日もかかります。同様に、東海岸沿いに住む人が車でコロラド州のロッキー山脈に行こうと思ったら、やはり何日もかかるのです。

以前、日本人の知人から面白い話を聞きました。この知人はスイスに旅行したときに、首都・ベルンのユースホステルに泊まりました。部屋ではアメリカ人観光客と一緒になり、夜はお酒を酌《く》み交《か》わしながら話をした。すると、スイスに入国したばかりだというアメリカ人は、知人に以下のように話したのだそうです。

「チューリッヒ空港から高速鉄道に乗りました。車内ではすぐにウトウトしてしまったのですが、目が覚めて窓の外を眺めたら山が見えました。僕は山のないエリアから来たので、それが生まれて初めて間近で見る山でした」

……さすがに海も山も一度も見たことがない日本人はいないと思います。しかし、あまりに広大な国土を持つアメリカには、このような人もいるのです。内陸部には海を見たことがない人もいることでしょう。

実は、内陸育ちの私自身が初めて海を見たのは一三歳のころ。夏に家族でカリフォルニア州を旅行したときのことでした。そのとき私が「海を見たい」と何度もいったので、呆《あき》れた父親は、車でサンタモニカビーチまで連れていってくれました。私は当然、車から降りてビーチで遊べると思っていたのですが、父親は「窓から太平洋を見たでしょ？　さあ帰りましょう」といって、そのまま車を止めることもなく、ロサンゼルス市内に戻ってしまいました。

また、先述の「テキサス親父《おやじ》」ことトニー・マラーノ氏は二〇一一年に日本に初来日しましたが、それが初めての海外旅行だったそうです。そして、彼は日本で、生まれて初めてトンネルというものを見たのだそうです。

日本では、高速道路や国道を走っていると、山を掘って造ったトンネルのなかをたくさん通ります。しかしアメリカには、それほどトンネルがありません。広大なアメリカでは、山を迂回《うかい》して道路を造るスペースが十分にある、ということでしょうか。

いずれにしろ、アメリカ人が世界を旅すると様々な初体験をすることは分かっていただけたでしょう。

## ＊スキー場と温泉も都会の近くに

さて、来日する外国人観光客が向かう先といえば、以前は京都や浅草が定番でした。もちろん、そうした観光地はいまも大人気。ただ、近年は「なんでこんな場所に？」という地域にまで外国人が「進出」しています。

たとえば北海道のニセコ連峰の麓《ふもと》に広がるニセコスキー場。オーストラリア人や中国人を中心に、スキーを楽しむため、世界中の外国人がこぞって押し寄せるようになりました。そう、パウダー・スノーを求めて。そのため、街中には英語の看板が掲げられ、ここは外国なのではないかと錯覚《さっかく》するほどです。

ニセコでは現在もホテルの建設ラッシュが続いており、たとえば倶知安町《くっちゃん》の地価上昇率は二〇一九年で四年連続全国第一位になりました。

その広大なスキー・エリアは、先述の通り、雪質の良さに定評があります。それも世界中のスキーヤーが集結する理由の一つですが、特にオーストラリア人にとって嬉しいのは、母国とニセコの時差が少ないことと、季節が反対なので、母国が夏でもスキーを楽しめること。

世界中のスキーヤーが目指すパウダー・スノーが、東京からも大阪からも数時間以内の場所にある……日本人はこの幸せに気付いているのでしょうか？

また無数にある日本の温泉地も、大自然を体感できるスポットとして、外国人観光客から人気があります。群馬県の草津や神奈川県の箱根は都心からアクセスが良いこともあり、連日、多くの外国人観光客で賑《にぎ》わっています。

ただアメリカにも、カリフォルニア州のパーム・スプリングスやアーカンソー州のホット・スプリングスなど、あちこちに温泉はあります。ユタ州の私の実家の近くにも。

しかし温泉は人気レジャーとはいえず、温泉に入ったことがない人が大半。アメリカの温泉はプールに近い位置付けで、水着を着用しなくてはならないのです。また、お湯もぬるくて寒い日には入れません。温泉と宿が一体になっているところが少ないのも不人気の理由かもしれません。

一方の日本では、温泉に出かければ、和風の旅館に宿泊できます。その旅館では、旬の食材を使った美味しい料理をいただき、女将《おかみ》さんのおもてなしを受けることができます。また、館内には卓球場やゲームセンター、カラオケルームなどの娯楽施設まであり、至れり尽くせりです。

加えて、これら温泉街は、どこもかしこもノスタルジックな雰囲気で、浴衣《ゆかた》を着て歩けば古き佳き日本を体感できる。つまり日本の温泉街には、温泉以外の楽しみがたくさん備わっているのです。外国人が目指さないはずがありません。

## ❄日本でしか味わえない風景

外国人観光客が押し寄せているエリアはまだまだあります。たとえば爆発的に外国人が増えているのが沖縄です。

私が沖縄国際海洋博覧会のスタッフとして滞在した一九七五年、沖縄にいる外国人は米軍関係者や台湾人が多数を占めていました。しかし、いまや外国人観光客だらけなのです。

二〇一八年二月二日の「日本経済新聞」の記事によれば、〈沖縄県の二〇一七年の入域観光客数が、同年のハワイの観光客数を初めて上回った〉というから驚きです。同年のハワイの観光客数が九三八万人だったのに対し、なんと沖縄県は九三九万人。外国人観光客が前年比で二二％も増加し、伸びが顕著なのです。

なぜ沖縄は、ハワイを抜くほどの人気観光地になったのか？　記事では沖縄直行便やクルーズ船の寄港が増えていることを理由に挙げています。加えて、英語や中国語など多言語で書かれたパンフレットを揃えるなど、県がインバウンド対策に力を入れていることも大きな理由でしょう。

ただ最も重要なことは、沖縄が東京から飛行機に乗ってわずか三時間弱、大阪からだと二時間二〇分ほどで行けるリゾート地であるということです。

いったんハワイに行けば、ハワイを観光するだけで終わります。日本からもアメリカ西海岸からも六～七時間のフライトが求められますから。一方、沖縄の場合、東京や京都の観光とセットにして楽しむことも可能なのです。

欧米や中国から来る観光客にとっては、東京の大都会、京都の伝統文化、そして沖縄の真っ青な海を一気に楽しめるのだから、文句の付けようがありません。だからこそ、羽田空港や関西国際空港から沖縄に向かう外国人がたくさんいるわけです。

このように、とにかく日本には、魅力的なエリアがたくさんある。四〇年も日本に住み続けている私でも、まだまだ行ってみたいところが多々あります。狭い国土にもかかわらず、一生かかっても行くことができないほどの魅力的エリアの数々……それが日本なのです。

ところで、鳥取県東部、八頭《やず》郡の小さな村に住んでいる知人から、非常に面白い話を聞きました。

知人の村は四方が山に囲まれており、田んぼや柿畑が広がるだけの何もないところ。しかし、そんなところにまでカメラを持ったアメリカ人観光客が訪れるのだといいます。知人は英語が話せたので、なぜこんなところに来るのか聞いてみたところ、以下のような答えが返ってきたのだそうです。

「鳥取砂丘に来たついでに、観光案内所で、お薦めのスポットを聞いてみました。すると若《わか》桜《さ》鉄道を薦められた。それで乗車して、ここまで来たのです」

若桜鉄道は鳥取駅から若桜駅を結ぶローカル線で、一九三〇年に開通した旧国鉄の若桜線を前身としています。終着駅の若桜駅の駅舎とプラットフォームは登録有形文化財にも指定されており、途中の安部駅は映画「男はつらいよ　寅次郎《とらじろう》の告白」のロケ地になりました。普段は地元の学生たちが使う鉄道ですが、車内から、春は桜、秋は紅葉を楽しむことができる、非常に趣《おもむき》のある鉄道です。

これを知って、このアメリカ人観光客も若桜鉄道に乗り、八頭郡の小さな村にまでやって来たのです。

観光庁によれば、初めて日本に来る観光客は、主に都市部や定番の観光スポットを訪れる傾向があるそうです。しかしリピーターともなると、四季を体感したり、自然に触れたり、スポーツを観戦したりという具合に、それまでとは違う日本文化を体験する割合が高いようです。鳥取の若桜鉄道に乗った外国人が、何回目の日本旅行だったのか聞いてみたかったものです。

東京オリンピック・パラリンピックが開催される二〇二〇年の海外からの観光客は、四〇〇〇万人を突破する見込みですが、二〇三〇年には五〇％増の六〇〇〇万人になり、そのうちリピーターは三六〇〇万人に上ると予測されています。

ニセコや各地の温泉、沖縄や鳥取の小さな村にまで、なぜ外国人がやってくるのか？　それは自分の国にない文化や風景を楽しむためです。

自国に雪山の少ないオーストラリア人はスキーのためニセコに、温泉が一般的でない欧米人は草津温泉に、青い海のない中国人は沖縄のビーチに、そしてローカル線がないアメリカ人は鳥取に……エキゾチックな文化遺産と多彩な自然が都会のすぐ近くに存在する日本は、これからも、観光国としての地位を高めていくことでしょう。

# 第7章　世界が憧れる歴史的な遺産があるから

## ＊海外で人気のスクランブル交差点

第6章で述べた通り、近年、外国人観光客が急増しています。そうした外国人観光客に人気のスポットはたくさんありますが、その一つが渋谷駅前のスクランブル交差点です。交差点の周りには六面の大型屋外ビジョンが設置されており、信号待ちをする人たちに向けて、大音量で音楽やCMを流しています。

また、一度の青信号で横断する人の数が膨大《ぼうだい》。渋谷センター街のウェブサイトによると、多いときで三〇〇〇人もの人が横断するというのです。

そんなド迫力の交差点を一目見ようと多くの外国人が訪れており、いまやニューヨークのマンハッタンにあるタイムズスクエアよりもエキサイティングだ、との声もあるほどです。

さらに、日本を舞台とした映画のロケ地としても渋谷のスクランブル交差点が使われており、たとえばソフィア・コッポラ監督の映画「ロスト・イン・トランスレーション」には、女優のスカーレット・ヨハンソン演じるシャーロットがスクランブル交差点を横断する場面があります。

また、ポール・W・S・アンダーソン監督、ミラ・ジョボビッチ主演の映画「バイオハザードⅣ　アフターライフ」では、歌手の中島美嘉《なかしまみか》さん演じるウイルスに感染した女性が歩行者に襲いかかる場面に使われています。

このスクランブル交差点には、映画監督が作品の舞台として使いたくなる、何かしら人間的で幻想的な魅力があるのでしょう。一〇〇年後は「世界文化遺産」に登録されているかもしれません。

## ＊古代アジアが残る唯一の国

外国人観光客を魅了しているのは、もちろん、近代的なスポットばかりではありません。やはり京都のような、いかにも日本的な歴史的建造物が建ち並ぶエリアも人気を集めています。

金閣寺、銀閣寺、清水寺《きよみずでら》などの古いお寺には、連日、多くの外国人が見学に訪れています。個人的にいうと、私は龍安寺《りょうあんじ》と天龍寺《てんりゅうじ》が好きです。石庭や方丈《ほうじょう》裏庭を眺めながら、瞑想《めいそう》することができるからです。

京都府が発表したデータによれば、二〇一八年の府内外国人宿泊客数は約四五九万人で、前年の三六一万人を大幅に上回りました。この数字はもっともっと大きくなることでしょう。

このように京都の人気が高い理由の一つは、狭いエリアに観光スポットが多数、集積している点です。タクシー、バス、電車などの交通機関を使えば、一日にいくつもの寺社を見学することができるわけです。

また京都は、東京駅から新幹線に乗れば、たった二時間の場所。つまり午前中は東京・浅草の浅草寺《せんそうじ》や仲見世《なかみせ》を訪れて、午後から京都を観光することも可能なのです。歴史的建造物がたくさんあり、しかも簡単に訪れることができるのですから、それはもう外国人が集まらないはずがありません。

一方、ほかのアジアの国々を見てみると、日本ほど長い歴史を持つ国はありません。たとえば中華人民共和国の建国は一九四九年。確かに中国大陸には、実在が確認されている最古の王朝・夏《か》がありました。しかし残念なことに、その後の王朝が代わるたびに、前王朝の文化や建物は、ことごとく破壊されてしまいました。

もちろん、秦《しん》の始皇帝陵《しこうていりょう》や万里《ばんり》の長城《ちょうじょう》などは残っています。ただ、中国の国土は、チベットやウイグル、あるいは内モンゴルまで、あまりにも広大です。加えて交通機関が日本のように全土に整備されているわけでもなく、京都のように簡単に訪れることのできる歴史遺産は少ないのです。

そう、つまり、世界の人々がアジアの歴史を身近に体感することができる唯一の国が、この日本なのです。だから今日も世界中から多くの人たちが詰めかけているわけですが、そうした歴史を毎週のように体験できる私は、やはり幸せ者なのでしょう。

## ＊ハリボテの街・ソウル

歴史的建造物が少ないという点では、お隣りの韓国も同様です。大韓民国は建国が一九四八年なので、中国と同様に、その歴史は短い。何となくアジアらしさが感じられるのは、屋台で食事をするときくらいで、あとはショッピングしかやることがない、そんな印象を受けます。

とはいえショッピングエリアでも、女性向け新興ブランドの化粧品や安価な衣服くらいしか販売されておらず、あとは相変わらずパチモノが多い。高級志向の人は、有名ブランドの路面店が並ぶパリやミラノで買い物したほうが楽しめます。あるいはアンティークな古着が好きな人は、ロンドンのカムデン・タウンや東京の下北沢に行ったほうが良いでしょう。

かくいう私は、二〇一七年六月、ソウルを訪れました。その目的は、慰安婦像と反日施設を取材することです。一九八〇年代には何度も韓国に行きましたが、久しぶりの韓国では、街がとても綺麗《きれい》になったと感じました。

とはいっても、建物の外壁や内装の細かい仕上がりは粗雑です。遠くから見ると立派でも、近くで見るとがっかりします。急いで造ったような感じで、職人意識が問われます。そう、神は細部に宿るのです。

たとえば、このとき私は比較的グレードの高いホテルに宿泊したのですが、部屋の壁と天井の境目には、結構な大きさの隙間が空いていました。これでは、まるでハリボテの高級ホテルです。まだまだ日本には敵《かな》いません。

――二〇一九年八月、日本政府が輸出管理の優遇対象国から韓国を除外しました。すると韓国では反日デモや不買運動が勃発《ぼっぱつ》。韓国人の反日感情は高まり、ソウルの繁華街・弘大《ホンデ》では日本人女性が韓国人男性から暴行を受け、この男性は起訴されました。

歴史的な興味を満たすために韓国を訪れる人は少ないのでしょうが、韓流ブーム以降、あるいはKポップの流行も手伝って、日本から最も近いこの国を訪れる日本人、特に女性はたくさんいます。日本人女性がもっと安心して訪れることのできる環境を作ってもらいたいものですね。

## ❋皇居が好きな元ビートルズ

さて、来日するセレブたちの多くは、オフの時間に様々な観光スポットに行っているようです。また、プライベートで日本に遊びにくるセレブも年々増えています。そこで、どんなセレブがどんな場所に行っているのか見てみましょう。

まずは本書でも何度か名前が出ている元ビートルズのポール・マッカートニー氏。彼は近年、何度もコンサートのために来日していますが、二〇〇二年一一月に来日したときには、金閣寺を訪問しています。

ただ、さすが元ビートルズだと感じたのは、夜間に貸し切りで観光したこと。混乱を避けたかったのかもしれません。誰もいない金閣寺……ライトアップされた舎利殿《しゃりでん》の神秘的な姿に、彼も圧倒されたことでしょう。

余談になりますが、一九六六年にビートルズが来日した際、日本中が大混乱になりました。世界的に有名なアーティストを初めて迎え、興奮したファンの暴徒化を恐れたのでしょう、なんと警備に数千人の警察官が動員されたといいます。また、メンバーはオフの時間の外出を禁じられ、ホテルに缶詰め状態となりました。

そんななか、マッカートニー氏は、どうしても皇居が見たかったようで、宿泊していた東京ヒルトンホテル（現・ザ・キャピトルホテル東急）からカメラを持って脱走。そして撮影に成功したのでしょう、二重橋あたりでカメラを持って得意げな顔をする氏の写真が残っています。歴史を重んじるイギリス人だけあって、日本の歴史に強い興味を持っていたのかもしれません。

皇居に魅せられたのはマッカートニー氏だけではありません。最近は皇居の周りで多くの外国人を目にします。

私のアメリカ人の知人もまた皇居が好きで、よく散歩をしています。理由を聞くと、「綺麗に整備された公園と、堀に囲まれた深い森の奥の宮殿に日本の君主（天皇）がいらっしゃる。それだけでも興奮する」と話していました。

宮殿自体は一九六八（昭和四三）年に完成したため比較的新しいものですが、皇居はかつて江戸城があった場所。皇居の近くにいるだけで、日本の長い歴史を体感できるのかもしれません。

話を金閣寺に戻します。室町時代初頭の一三九七年に建てられた金閣寺は、一九五〇年、放火により舎利殿が焼失し、現在のものは一九五五年に再建されました。ただ舎利殿は新しくても、寺院全体は歴史的な遺産にほかなりません。

当然、外国人観光客にも人気のスポットで、近年も俳優のレオナルド・ディカプリオ氏や女優のジェシカ・アルバさん、R&Bシンガーのザ・ウィークエンド氏ら、多くのセレブが訪れています。

金閣寺は、なぜ外国人を虜《とりこ》にするのでしょうか？　アジア各国を歴訪した経験を持つアメリカ人の知人が以前、面白い指摘をしていました。たとえばタイのバンコクにある寺院のワット・ポー。黄金の巨大な涅槃仏《ねはんぶつ》がある有名な寺院ですが、建物もそのほかの仏像も、とにかく何もかもが黄金に輝いています。それはそれでタイらしくて素敵ですが、金閣寺の場合は舎利殿が輝いているだけ……周りは木々に囲まれて静寂《せいじゃく》に包まれています。だからこそ、舎利殿が一層輝いて見えるというのです。

それを聞いて、なるほどなあと思いました。日本人は大量の花ではなく、一輪の花を愛《め》でることができます。何でもかんでも豪華にするのが美ではない。金閣寺には、そんな日本人らしさが表れているのかもしれません。

## ❄ジャイアンツを去った選手が訪れた場所

一方、東京で外国人に人気のスポットといえば浅草の浅草寺《せんそうじ》でしょう。六二八年に建てられた浅草寺もまた、都心にありながら、日本の長い歴史を感じることができます。当然、多くのセレブが訪れています。

たとえば俳優のオーランド・ブルーム氏。氏は浅草寺を訪れて、いままで見た寺のなかで最も美しい寺の一つだと話していたそうです。ほかにも女優のジェシカ・チャステインさんやドリュー・バリモアさん、シンガーソングライターのサム・スミス氏らも訪問しているようです。

浅草寺の近くには、雷門《かみなりもん》や仲見世《なかみせ》、そしてレトロな遊園地の「浅草花やしき」など、いかにも日本的で、かつその歴史を感じさせるスポットがたくさんあり、その周りを人力車が走っています。外国人なら歩いているだけで楽しいし、インスタ映《ば》えする街なのです。帰国後、浅草で撮った写真を友人に見せたなら、きっとみんな「ワオ！」と羨《うらや》ましがることでしょう。

私の知人は、たまたま浅草の店で出会ったイギリス人カップルに浅草の感想を聞いたことがあるそうです。するとこのカップルは、揚《あ》げ饅頭《まんじゅう》が美味しかったといいました。曰く「だいたい観光スポットの食べ物なんて美味しくない。でも、日本ではたかだか一〇〇円ちよっとで買えるお菓子ですら、本当に美味しかったです。イギリスに持って帰りたいくらいに」……食事が不味《まず》いと評判のイギリスだから、このカップルもきっと、半分本気でいっていたのかもしれません。

この浅草を観光したアメリカ人で思い出すのは、元読売ジャイアンツの投手、ダン・ミセリ氏です。

ミセリ氏はメジャーリーグでも実績を残していたことから、二〇〇四年オフに鳴り物入りで読売ジャイアンツと契約。そして、翌二〇〇五年のシーズン開幕当初は抑えの切り札に指名されるも、たびたび打ち込まれ、ついには負け試合で登板させられることになりました。するとミセリ氏は不満を露《あら》わにするようになり、結局、開幕から一ヵ月にも満たない四月一九日に退団することになりました。

活躍できなかった外国人選手が、シーズン途中に退団するのはよくある話。ただ、ミセリ氏は読売ジャイアンツの本拠地・東京ドームで自分の荷物を片付けて、球団関係者に挨拶を済ませると、なんと妻子を連れて浅草を観光したのです。翌日のスポーツ新聞には、人力車に乗るミセリ氏の姿がデカデカと掲載されていました。

この行為は、当時、プロ野球ファンから失笑を買っていました。ただ、私はミセリ氏の気持ちが分かります。

一ヵ月足らずではあったものの、彼も遠征で日本中を回り、日本の魅力を感じていたのだと思います。だから帰国する前に浅草を訪れたかった。もし日本が嫌いだったら、そして日本に何の魅力も感じていなかったら、退団したその足で空港に向かい、そのまま帰国していたはずです。

ミセリ氏も日本に魅了されたアメリカ人だったのだと、私は確信しています。

## ＊アメリカ人は寺社に何を感じるか

ところで昨今、日本マニアといえる日本通の外国人も増えています。

二〇年ほど前、スイス・ベルン近郊の小さな町に住んでいた知人が、「近所に日本通の男性がいる」と話してくれたことがありました。その男性は、スイスでたまたま観た日本の時代劇の侍に魅了され、それが縁で柔道を始めたのだそうです。短期間ですが日本在住歴もあり、日本文化にも精通しています。家屋も庭も日本式で統一した自宅には、なんと柔道場があり、柔道教室を開いていました。

そして、口を開けば「日本のここが凄い」と吹聴《ふいちょう》し、「侍とは何であるか」「葉隠《はがくれ》の精神とは」「切腹の作法とは」などと、大半のスイス人には理解できない話ばかりする……近隣住民からは変わった人だと思われていたそうです。

しかし、それから二〇年の時が流れて、世界中に日本通は増えました。もちろん、スイスの柔道家のように日本の伝統文化に魅了された人ばかりではなく、アニメやマンガ、ゲームなど、ソフトカルチャーから日本マニアになった人も多いと思います。それを機に日本を訪れて、その歴史に興味を持つようになった欧米人も少なくありません。

考えてみれば、昔から、欧米人は侍や忍者が大好きでした。当然、日本の長い歴史を感じるお寺や神社にハマる人も多いのです。

私の感覚では、ヨーロッパ人よりもアメリカ人のほうが古い寺社が好きなのではないかと思います。なぜならヨーロッパには、日本ほどではないにせよ長い歴史があるし、古い建物も残っているからです。ただ、その代わり、高層ビルが建ち並ぶ大都会は少ないといえましょう。だからこそ、ヨーロッパ人を渋谷や新宿に連れていくと喜ぶのです。

実際、私の知人は、ドイツ人の友人が来日したときに東京観光をエスコートしたところ、浅草よりもお台場の夜景を喜んだといいます。近代的な建物や東京湾を跨《また》ぐレインボーブリッジに興奮したのでしょう。

一方、アメリカは建国から二四〇年程度しか経っておらず、長い歴史がありません。ニューヨークの摩天楼《まてんろう》のような高層ビルは各所にあっても、古い建物は多くない。だからこそ、日本の古い神社仏閣に魅力を感じるのではないでしょうか。そして、それは京都の有名な寺社に限らず、住宅街にある小さな寺社でも同じなのです。

近年は外国人の受け入れに積極的なお寺も多く、座禅を体験する人も増えています。また宿坊も人気だといいます。もちろん外国人の多くは寺社の違いを完全には理解していないでしょう。しかし、山中に建つ趣《おもむき》のある寺や、街なかに設置された大きな鳥居に、神秘的な「何か」を感じて魅了されるのは間違いありません。

私が日本に住み続けているのも、これらに魅了されているからなのかもしれません。

# 第8章　天皇を中心とした国体があるから

## ＊社会に秩序をもたらす天皇

さて、本書を手に取って読んでいるあなたは、とても幸せ者です。その理由はただ一つ。あなたが日本人だからです。

日本は第二次世界大戦のあと七〇年以上にわたって平和を守ってきました。また、先の大戦で国土が焼け野原となったものの、その後は飛躍的な復興を遂げ、経済的にも発展し、いまも世界の一等国として存在しています。

ただ、日本人が幸せだといえる最大の理由、それは日本に天皇が存在するという事実かもしれません。なぜでしょうか？

まず天皇は、日本の社会に秩序をもたらしています。もちろん私も、日本に来る前から、皇室の存在自体は知っていました。ただ、みなさんもご存じの通り、アメリカには皇室も王室もありません。社会における天皇のリアルな存在感自体については、具体的にはまったく理解していませんでした。

ところで保守派の知人は、よく「国体」という言葉を使います。私は一九七一年に初来日を果たして以来、長く日本に住んでいます。しかし、この国体が理解できず、知人に「要するに天皇のことでしょう？」と聞いたことがあります。すると知人は、「確かにそれが重要ですが、それだけではありません」と、やんわり否定しました。

では、いったい何なのか？　知人と長時間にわたって議論した結果、やっと日本の国体を理解することができました。

国体を英語に訳すと「National Polity（ナショナル・ポリティ）」となりますが、それではまったく意味が分かりません。また、「ナショナル・ポリティ」をそのまま解釈して、「天皇こそが日本だ」というと、世界から「天皇は独裁者だ」と誤解されてしまうことになります。しかし独裁者は、革命などで新しい為政者が現れれば、それでもう、おしまいです。ところが天皇は、崩御《ほうぎょ》、あるいは譲位されない限り、代わることはありません。加えて独裁政治を敷いているわけでもなく、この日本特有の体制は、欧米人には理解しづらいのです。

天皇が代わっても国体は変わらない――これが何を意味するかといえば、国体は皇室や今《きん》上《じょう》天皇のみを指すのではないということです。

国体を理解するには、二六〇〇年前からの歴史を遡《さかのぼ》らなければなりません。日本の中心として歴代天皇が君臨してきた歴史、文化、伝統……そうしたことをすべて統合したものが国体なのです。

そして、日本の国体のスケールは、他に類を見ません。長大な歴史と万世一系の天皇が君臨している国は、世界を見渡しても、この日本だけです。

確かに四〇年ほど前までは、イランとエチオピアに、英語では「エンペラー」と呼ばれる人が存在しました。が、政治や宗教の勢力から圧迫され、その座を追われました。ゆえに現在では日本にだけ天皇がいらっしゃるわけですが、この国がどのような政治・宗教体制になっても、天皇が追われることはありません。そしてこの事実こそが、世界が日本に憧《あこが》れ、日本人を羨ましいと思う理由なのです。

## ❋君臨する天皇と統治する将軍

さて、天皇と国王とは、まったくの別物です。英語でいう「Rule」は国王。つまり「力によって国を統治する」存在なのです。「権威」といえば良いのではないでしょうか。

そして、権威ということであるならば、国王は女系でも良いし、女王でも良い。あるいはイギリス王室のように、外国人を受け入れても問題はありません。

現にイギリス王位継承順位第一位のウェールズ公チャールズが国王に就任すれば、エリザベス女王の息子ですから、女系の国王となります。また、現在の女王の王配、エディンバラ公フィリップ殿下は、ギリシャ、およびデンマークやノルウェー王家の血を引いています。

一方の天皇。日本人の心の拠《よ》り所《どころ》である天皇は、唯一無二の存在ですが、強いて近い存在を挙げるとすれば、ローマ法王に近いでしょう。

現在、世界に一三億人近くいるカトリック教徒にとって、ローマ法王は特別な存在です。ローマ法王もまた、力で国を統治しているわけではなく、カトリック教徒の心の拠り所として存在しています。

だから天皇とローマ法王は、英語でいうところの「Reign」です。日本語に訳すと「君臨」という意味になります。

かつてヨーロッパでは、ローマ法王が、西ローマ帝国や東ローマ帝国などキリスト教国家の国王を任命していました。つまり国王が国の数だけいたとしても、その上にローマ法王が君臨していたのです。現在のローマ法王にそのような権限はありませんが、それでもカトリック教徒の精神的な支えとして君臨しています。

この「Rule」と「Reign」の違いは極めて大きいものです。日本の歴史に当てはめて考えてみると分かりやすいでしょう。すなわち、天皇が「Reign」、将軍が「Rule」です。封建制度下の日本で実際に実権を握っていたのは、将軍です。天皇に実権はありませんでした。

ところが明治維新では、この「Rule」と「Reign」の統合を目指しました。しかし、天皇が最後に実権を握っていたのは、初めての武家政権たる鎌倉幕府が開かれる前のこと。それから明治までのあいだ、日本を統治していたのは、歴代幕府の将軍でした。つまり約七〇〇年ぶりの統合だったのです。

とはいえ、明治天皇が「Rule」と「Reign」を担ったのはかたちだけのものでした。実際には明治政府が政治を担い、明治天皇はほかの天皇と同様に「Reign」、つまり君臨していただけでした。

「Reign」であることは、今上天皇も同じです。その証拠に、今上天皇は国会を召集するといった国事行為を担っておられますが、ご自身が政治を司ることはありません。それどころか、政治的な発言をされることすらないのです。

この点、イギリス王室とは違います。イギリスではエリザベス女王もチャールズ皇太子も、しばしば政治的発言をされるからです。

たとえば二〇一五年一〇月のエピソード。イギリスは、中国の習近平《しゅうきんぺい》国家主席を国賓《こくひん》として招きました。国内の経済が低迷しているため、中国から四〇〇億ポンド（約七兆四〇〇〇億円）の援助を受ける約束で、習主席を招いたのです。

その際、エリザベス女王は習主席を晩餐会《ばんさんかい》に招待しました。しかし、会場での習主席一行の振る舞いに対してエリザベス女王はご立腹だったのか……のちにそのときのことを、「とても非礼だった」とおっしゃった声が、偶然カメラのマイクに拾われていました。しかし、もし習主席一行が天皇の前で非礼な振る舞いをしたとしても、天皇が同様の発言をされることはないでしょう。

政治的発言をするのは、イギリス王室だけではありません。タイ王室もまた、必要なときには言及されています。たとえば二〇一三年、タイで反政府デモが激化した際、当時のプミポン国王は、国民に結束を呼びかけました。王室が政治的発言をすることは、このように、世界では珍しいことではないのです。

## ※マッカーサーを感動させた天皇

日本国憲法は第一条で〈天皇は、日本国の象徴であり日本国民統合の象徴であつて、この地位は、主権の存する日本国民の総意に基く〉と謳《うた》っています。問題だらけの日本国憲法ですが、条文では天皇を象徴とし、その一方で国家元首を定めていません。これは極めておかしなことです。元首を規定していない国などないからです。

以前、外交評論家の加瀬英明《かせひであき》氏と、『対談　憲法改正で日本はこんなに良くなる』（光明思想社）で議論しました。加瀬氏は憲法第一条について、〈国旗は日本国の象徴であるといった使い方はできますけど、人間が象徴だというのは馴染《なじ》まない〉と批判していました。対する私の意見は、「象徴は法律用語でもなければ法的概念を持った言葉でもない」ということ。だから、第一条は何のためにあるのかと、疑問を感じてしまいます。

天皇を国家元首とせず、〈日本国の象徴〉と曖昧《あいまい》な表現にしたのは、極東委員会の反発を恐れたからです。極東委員会とは、第二次世界大戦で日本に勝利した連合国が、日本を管理するために設置した最高政策決定機関です。日本で占領政策を実施したGHQよりも上に位置していました。

その極東委員会は、日本の降伏で終戦になると、「天皇を処刑するべきだ」と考えたのです。それに反対したのは、連合国軍最高司令官のダグラス・マッカーサーと、当時のアメリカ大統領のハリー・トルーマンだけでした。

このマッカーサーも、終戦直後は、天皇は独裁者であり、処刑すべきだと考えていました。しかし昭和天皇から面会の申し出があり、実際に対面すると、すぐにその考えを改めたといいます。昭和天皇は命乞《いのちご》いをするどころか、ただ日本国民の衣食住の保障だけを求めたからです。

マッカーサーはその姿に感銘を受けました。それと同時に、天皇は独裁者などではなく、日本を安定的に統治するのに必要な存在だと確信しました。だから天皇の処刑に反対するようになったのです。

また、マッカーサーは戦前に日本に滞在した経験がありました。仕事で日本に赴任していた父に同行するかたちで、来日していたのです。加えてフィリピンにも長く滞在していました。だから日本のこと、そしてアジアのことを、よく理解していました。天皇が独裁者ではないことも、十分に承知していたのです。

しかし、そのほかの連合国の指導者たちは、天皇の本質をまったく理解していませんでした――。

加えてアメリカの国務省も強硬な態度をとり、天皇の処刑を強く訴えていました。というのも、多くのアメリカ人は、日本が国家神道《しんとう》という宗教のトップである天皇の名のもとに戦争を行ったと捉えていたからです。だからこそ天皇の戦争責任を追及して、処刑しなければならないと主張したのでした。

結果、ＧＨＱが日本で占領政策を始めるに当たり、マッカーサーは日本に食料や燃料を送るよう本国に指示を出しましたが、国務省はそれに反対しました。

当時の日本の食料事情は深刻でした。放置しておけば一〇〇万人規模の餓死者が出てしまう、そんな状況でした。にもかかわらず、「野蛮な日本人など死ねばいい」という声まであったといいます。国務省はそれほど厳しい態度をとっていたのです。

## ＊英米型憲法とドイツ型憲法の違い

天皇の身が危ぶまれるなか、トルーマンもマッカーサーも、指をくわえて見ていたわけではありません。一九四六年二月二六日、ワシントンＤＣで、極東委員会の初会合が行われることが決まりました。するとＧＨＱは、それに先立って、日本政府に憲法草案を作るよう指示しました。詳細は以下で説明します。

憲法にはプロイセン（ドイツ）型と英米型の二種類があります。ドイツ型憲法では、全権力は君主に帰属して、君主がその一部を国民に付与する。一方、英米型憲法では、全権力は国民に帰属し、国民がその一部を政府に委ねるのです。

明治憲法はドイツ型憲法でしたが、ＧＨＱは、「新憲法は英米型憲法にすること」を命じました。これは極東委員会による天皇の処刑を阻止するための行動でした。

イギリスには憲法典はなく、議会での決議や長年の裁判の判例を積み重ね、それを憲法としています。そのため、法律を改正するということは、同時に憲法を改正したことになるのです。

そして前述の通り、英米型憲法の大きな特徴は、国民に全権力があり、その一部を政府に委託するという点。アメリカ合衆国憲法は、イギリスの憲法を引き継ぎ、それに加えて憲法典を制定しています。それはいたって簡単なものです。

第一章では立法府である下院と上院の創設と規則を設定しています。立法府に委ねる権利としては、徴税権、通貨の管理、外国や州と州の通商の規制、軍隊の維持、宣戦布告権、移民管理、郵便局の創設、下級裁判所の創設、特許権等の管理が明記されています。ここに明記されていない権限は、州に帰属することも書かれています。

第二章は行政府の大統領制を、第三章は司法府としての最高裁判所と、その管轄権等を規定しています。

しかし、一七八八年、各州にアメリカ合衆国憲法の承認を求めると、国民からは「ちょっと待って、私たち国民の権利は何なの？」という疑問の声が上がりました。そこで修正条項が第一条から第一〇条まで追加され、国民の権利が規定されました。

これは権利章典と呼ばれています。そうして、第一条で信教・言論・出版・集会の自由を、第二条で武器保有権、すなわち銃を所持する権利を保障したのです。

重要なことは、英米型憲法では、条文が絶対なのではなく、それまでの最高裁判例なども加味されるということです。

権利章典以外、合衆国憲法は過去に一七回改正されましたが、奴隷の解放や所得税の創設、女性参政権や禁酒法およびその撤廃など、かなり古い話です。原則としてわざわざ条文を変えたり、修正条項を追加することなく、法改正と最高裁判決などで対応しているわけです。

プライバシーを例を挙げて見てみましょう。最近、同性結婚を禁止することが憲法違反だという最高裁判決が下されました。その理由は、憲法で保障されているプライバシーの権利を侵害するからです。同様に、各州が人工中絶を禁止することは、最高裁の判決で制限されています。これも根拠はプライバシーの権利。このように、私たちアメリカ人はプライバシーを重んじますが、合衆国憲法には一切記載されていません。それでもアメリカでは、プライバシーの権利が憲法として存在しています。

このプライバシーの権利はイギリスで生まれたもので、そもそもは自分の体を守る権利を法的に保障したものでした。そしてアメリカは、この精神を引き継いだ。だから、わざわざ条文にしなくても、確かに憲法として存在しているわけです。これが英米型憲法の大きな特徴です。

一方のドイツ型憲法とは、ドイツ帝国で制定されたビスマルク憲法を指します。皇帝や王、あるいは独裁者に全権力が集中し、その権力の一部を国民に付与するというもの。前提が英米型憲法とは真逆です。

このドイツ型憲法の大きな特徴は、英米型憲法のように議会決議や最高裁の判決に左右されないことです。つまり、条文に書かれたことだけが絶対で、憲法を変えるなら、そのたびに条文を改正しなければなりません。

明治時代の日本は、「Rule」と「Reign」の統合を目指しました。そして大日本帝国憲法

（明治憲法）では、実権は天皇にあると定めることにして、天皇を絶対化しました。ゆえに明治政府は、憲法を作る際、英米型憲法ではなくドイツ型憲法を採用したのです。

そのため岩倉具視《いわくらともみ》から指示を受けた伊藤博文《いとうひろぶみ》らが当時のドイツ帝国に向かいドイツ型憲法を調査、それを参考に憲法を作っていきました。

明治憲法の第一章には以下の記述があります。

〈天皇ハ国ノ元首ニシテ統治権ヲ総攬《そうらん》シ此ノ憲法ノ条規ニ依リ之ヲ行フ〉（第四条）

〈天皇ハ帝国議会ノ協賛ヲ以《もっ》テ立法権ヲ行フ〉（第五条）

〈天皇ハ法律ヲ裁可シ其《そ》ノ公布及執行ヲ命ス〉（第六条）

〈天皇ハ陸海軍ヲ統帥《とうすい》ス〉（第一一条）

〈天皇ハ戦ヲ宣シ和ヲ講シ及諸般ノ条約ヲ締結ス〉（第一三条）

以上のように、天皇に権力が集中しているのです。そのうえで、第二章では国民に、以下のような権利を付与しています。

〈日本臣民ハ其ノ所有権ヲ侵サル、コトナシ〉（第二七条）

〈日本臣民ハ安寧秩序ヲ妨ケス及臣民タルノ義務ニ背カサル限ニ於《お》テ信教ノ自由ヲ有ス〉（第二八条）

〈日本臣民ハ法律ノ範囲内ニ於テ言論著作印行集会及結社ノ自由ヲ有ス〉（第二九条）

これが明治憲法の特徴です。もちろん、ビスマルク憲法とまったく同じではありませんが、英米よりもドイツの憲法に近い形式を採っているのです。

## ❋新憲法で天皇を助けたアメリカ

話を戻します。終戦後に日本を占領したGHQは、日本政府に英米型の新しい憲法を作るように指示を出しました。それを受けて政府は、松本烝治《まつもとじょうじ》国務大臣を委員長とする憲法問題調査委員会（松本委員会）を設置。一九四五年一〇月二五日のことです。

しかし、ドイツ型の明治憲法下にあった当時の日本政府では、英米型の新しい憲法など作れるはずがありませんでした。

そんななか一九四六年二月一日、「毎日新聞」が、国会の憲法草案、通称・松本草案をスクープしました。その松本草案は、明治憲法に少し手を加えただけのもの……だとすると、そうした松本草案を却下したかったGHQの人間が、「毎日新聞」に情報をリークしたとしか考えられません。なぜなら、当時はGHQによる厳格な情報統制や検閲が実施されていた時代だからです。

そうした時代に、仮に「毎日新聞」が松本草案の情報を入手したとしても、間違いなく検閲に引っかかっていたはず。つまりGHQは、あえて「毎日新聞」に報道させたとしか考えられないのです。

「毎日新聞」のスクープのあと、新聞各紙は、松本草案に関する記事を後追いで掲載しました。やはりその内容は、批判的なものばかりでした。

「毎日新聞」のスクープから七日後の二月八日、松本委員会は草案をＧＨＱに提出しました。当然、マッカーサーはこれを却下しました。というのも、二月三日から、ＧＨＱ内で占領政策を担っていた民政局に、新たな憲法草案を作らせていたからです。

そして二月一〇日、民政局による英米型憲法のＧＨＱ草案（マッカーサー草案）が出来上がりました。この草案の内容は、現在の日本国憲法の土台になったもので、内容もほとんど同じです。

民政局の局長として憲法草案制定会議の責任者を務めていたコートニー・ホイットニー准将が、この草案を、松本烝治、そして当時の外務大臣・吉田茂《よしだしげる》に見せました。すると両氏は天皇を象徴と定めた部分に驚き、武力の行使や戦力の保持を認めないと定めた部分にも難色を示しました。

しかし、ホイットニーの一言によって、両氏はこの案を呑まざるを得なくなりました。ホイットニーが、「これを認めなければ天皇の命は保証できない」と告げたからです。

これを受けた日本政府は、マッカーサー草案に沿う憲法改正の方針でＧＨＱとの協議を重ね、三月七日に「憲法改正草案要綱」を新聞に発表。三月から日本国憲法の制定に向けた審議が本格的に始まりました。

極東委員会が発足したのは二月二六日。もし、この時点で天皇を国家元首と定めた憲法を制定しようとしていたら、極東委員会は、間違いなく天皇を処刑していたでしょう。だからこそ、天皇の地位は玉虫色にした。これは政治的な妥協案でした。

「アメリカが勝手に日本国憲法を押し付けた」「アメリカが日本の牙《きば》を抜いた」と批判する日本人も少なくないですが、これによって天皇が助かったという事実もあるのです。その点を理解している日本人は極めて少ないように思います。

ただ現在では、既にＧＨＱも極東委員会も存在しません。いつまでも天皇を象徴のままにしておく必要もありません。これがおかしいと思うなら日本人自身の手で変えれば良いし、アメリカ人の私も変えるべきだと思っています。

天皇に対する象徴という言葉は、法律用語でもなければ、法的概念を持った言葉でもない。だから条文の意味がよく分かりません。本来なら「国家元首」を使うべきでしょう。

ただ先述の対談で、加瀬氏は、元首を使うことにも否定的でした。以下のように語っていたのです。

〈「元首」という言葉も、日本の天皇の場合に、好《この》ましいと思いません。天皇は元首よりも、はるかに尊い存在です。「元首」というのも明治以降の翻訳語《ほんやくご》だし、「元首」は、政治的に取り替えのきく地位を言います。何か不都合が起こったとき、辞めさせることができる、そんな言葉です〉

これも一つの意見です。ただ、天皇が象徴のままで良いとは思えません。だから現在のかたちを変えて、たとえば「天皇は元首であり象徴であり、常に国民とともにいる」と謳えば良いのではないかと、個人的には考えています。

今後、憲法を改正するなら、やはり元首が誰なのかをハッキリさせるべきです。元首を明確に指定していないのは、世界的に見ても異常なことだからです。

## ＊戦争後の日本とイラクの大違い

戦後七年にわたって日本を統治したＧＨＱが撤退すると、日本は凄まじい勢いで経済発展を遂げ、世界が羨む一等国になりました。すると、アメリカは一つ大きな勘違《かんちが》いをしました。

「私たちが日本を民主主義国家として生まれ変わらせた」と――。

なぜ日本は瞬《またた》く間に発展できたのか？　日本人の勤勉な国民性も、その大きな理由の一つです。ただ、それだけではなく、やはり天皇の存在が大きかったといえましょう。天皇が君臨していたため、戦後の混乱のなかでも、日本人は安心して手を取り合って前進することができたのです。

一九四六年二月から八年半をかけて、昭和天皇は、日本各地を巡幸されました。この巡幸に当たっては、戦争で家族を失った人や敗戦を嘆いている人が暴動を起こすのではないか、という危惧もありました。しかし、実際に巡幸が行われると、各地で「天皇陛下万歳！」という声が湧き上がり、みな涙を流して喜びました。天皇が国民にとっての心の拠り所であることがよく分かるエピソードです。

私はこのエピソードを思い出すたびに、胸が熱くなります。

しかし、そんな日本や日本人の特徴を、大半のアメリカ人は理解できていなかったし、現在も分かっていません。だからアメリカは、日本への占領政策が完璧なものだったと結論付け、自分たちの功績だと勘違いしたのです。

時は流れて二〇〇三年三月、イラク戦争が勃発《ぼっぱつ》しました。米軍を中心とする有志連合とイラク軍との戦闘は、四二日後の五月に終わりました。その後、米軍は、二〇一一年までイラクに駐留。このときアメリカは、かつての日本での経験をもとにイラクでの占領政策を行おうとしました。しかし結果的には、まったくうまく行きませんでした。

その理由はただ一つ。イラクには日本の天皇のような、国民を統合する人が存在していなかったからです。

二〇年以上にわたってイラクを支配していたのは、独裁者のサダム・フセイン大統領でした。そのフセインは、二〇〇三年一二月、イラク中部ダウルにある隠れ家で拘束され、その三年後には処刑されました。

またアメリカは、イラクで一党独裁を続けていたバース党も解党させました。しかし結果的に、これが、フセインらが抑え付けていた過激派テロ組織を活性化させることにつながったのです。

つまりフセインらは、力によって国を一つにまとめていたわけです。そんな彼らは恐怖そのものであり、国民の心の拠り所などではありませんでした。そのせいか戦場では、イラク軍人が軍服を脱いで逃げてしまったという話すらあります。

この点が天皇を戴く日本との大きな違いであり、だからこそアメリカによるイラク占領政策は失敗に終わったのです。そして、戦争前よりもイラクは混乱することとなり、それは現在も続いています。

## ＊アメリカで天皇に代わる存在は

世界の歴史を見ると、ヨーロッパでもアジアでも、国が興《おこ》っては衰退し、王朝が生まれては滅びる、それを繰り返してきました。

たとえば中国は「四〇〇〇年の歴史」などといわれることがあります。しかし、実際には秦《しん》、漢、隋、宋、元、清《しん》……といったように、次々に王朝が代わっています。そしてそのたびに、前王朝の文化は破壊されました。つまり中国には、四〇〇〇年の継続した歴史などないのです。

そんななか唯一、日本だけは、二六〇〇年以上にわたり、天皇を中心とする国を守り続けてきました。日本人は、これをもっと誇るべきです。日本が歩んできた歴史は、奇跡とさえいって良いでしょう。

では、なぜこんなことが可能だったのか？　島国だからというのも大きな理由でしょう。大陸の国のように、隣国から攻め込まれることが少なかったからです。

もちろん危機がなかったわけではありません。鎌倉時代には二度にわたってモンゴル帝国の襲来（元寇《げんこう》）に遭いました。しかし当時の日本人は、それを命がけで蹴散《けち》らしたのです。そして、その後も他国と距離を保ちながら、ずっと自分たち独自の文化を生み出し、守ってきました。

――このような国は日本だけです。日本人には、自分の国がいかに特別な存在であるか、それを理解してもらいたいのです。

その日本は、一九四五年に敗戦という最大の危機に直面しました。しかし、それでも倒れませんでした。その理由は、やはり天皇が君臨していたからとしか考えられません。

私は天皇も王も存在しないアメリカからやってきました。そんな私でさえ、天皇がいらっしゃる日本で暮らしていると、安心感を覚えます。なぜなら、天皇が君臨されるがために、日本の秩序が保たれていることを体感しているからです。

一方のアメリカには、そのような存在はありません。唯一、国家の秩序が保てる存在は、星条旗だけです。

アメリカは移民国家で、イギリス系、ドイツ系、イタリア系のほか、ヒスパニック系やアジア系、そしてアフリカ系など、様々なバックグラウンドの人々から成り立っています。すべての人々を糾合《きゅうごう》すべきは大統領なのですが、ご存じの通り、そのキャラクターが尊敬されないケースも多々あります。

加えて近年は、民主党などのリベラル勢力が、マイノリティの保護や個人の尊厳を理由に、アメリカ社会を分断させようとしています。これについては第4章で詳しく説明しました。

そんな状況下で唯一、秩序維持に使える存在が星条旗なのです。実際、アメリカでは、星条旗を毀損《きそん》するなどの冒瀆《ぼうとく》行為に対しては、刑罰が科せられます。

そのため私たちアメリカ人は、子供のころから学校で、星条旗に向かって忠誠を誓います。右手を左胸に置いて、「私は合衆国の国旗と、それが象徴する、万民のための自由と正義を備えた、神のもとで不可分の国家たる共和国に、忠誠を誓います」と暗唱するのです。

ちなみに前出の「テキサス親父」ことトニー・マラーノ氏によれば、テキサスの学校では毎日、州旗に対しても忠誠を誓うのだそうです。さすがアメリカが誇る保守的な州です。

しかし戦後の日本では、日の丸に敬意を表さない日本人がいます。国旗に対する思いは、私たちアメリカ人のほうが強いといえましょう。ただ、近年は反政府デモで星条旗を燃やす移民や、ステージ上で星条旗を逆さに掲げるロックミュージシャンもいます。残念ながら、星条旗の力は、以前より落ちているのかもしれません。

## ❉アメリカ人が感動した天皇のお心

さて、アメリカ人の大半は、いまも昔も、天皇の本質を理解していません。ただ、過去に一度、アメリカ国民が天皇の大御心《おおみこころ》に触れる機会がありました。

一九七五年九月から一〇月にかけて、昭和天皇と香淳《こうじゅん》皇后両陛下による初の訪米がなされました。厳密にいうと、両陛下の訪米は一九七一年のヨーロッパ訪問の際、給油のために立ち寄られたアンカレッジが先になりますが、公式訪問としては、これが最初となります。

ただ、天皇に対する当時のアメリカ国民の感情は、決して良いとはいえませんでした。終戦から三〇年経っても、アメリカ人の多くが真珠湾攻撃を忘れておらず、天皇の戦争責任を問う声も、まだ聞かれました。この訪米自体、戦争時の要人たちの大半が死去したあとだから実現したとさえいわれています。

そんななか、アメリカを訪問された昭和天皇は、ホワイトハウスで当時のジェラルド・フォード大統領夫妻が主催した歓迎晩餐会《ばんさんかい》に出席されました。そして会場で、以下のようにお言葉を述べられました。

〈私は多年、貴国訪問を念願にしておりましたが、もしそのことが叶《かな》えられた時には、次のことを是非貴国民にお伝えしたいと思っておりました。と申しますのは、私が深く悲しみとする、あの不幸な戦争の直後、貴国が、我が国の再建のために、温かい好意と援助の手をさし延べられたことに対し、貴国民に直接感謝の言葉を申し述べることでありました。当時を知らない新しい世代が、今日、日米それぞれの社会において過半数を占めようとしておりま す。しかし、たとえ今後、時代は移り変わろうとも、この貴国民の寛容と善意とは、日本国民の間に、永く語り継がれて行くものと信じます〉（高橋紘・編『昭和天皇発言録　大正9年～昭和64年の真実』小学館）

かつての敵国の元首が初の訪米で何を語るのか、注目のなかで発せられたのは、意外にもアメリカ国民への感謝だった――天皇のこのお言葉に対し、会場では大きな拍手が湧き起こり、晩餐会は予定の時間を大幅にオーバーして、深夜にまで及びました。

〈我が国の再建のため〉の〈温かい好意と援助〉というのは、アメリカが占領期間中に日本に供与した対日経済援助のこと。一九四六年から五一年にかけての約六年間、日本が受けた経済援助の総額は約一八億ドルに上り、この援助がなければ日本の復興は実現しなかったでしょう。

では、なぜこの援助が実現したのか。終戦当時に農林大臣だった松村謙三《まつむらけんぞう》の『三代回顧録』（東洋経済新報社）によれば、昭和天皇は食糧危機に直面する状況を危惧し、〈多数の餓死者を出すようなことはどうしても自分にはたえがたい〉と述べられ、皇室の御物《ぎょぶつ》の目録を松村氏に差し出されたそうです。

そして、〈これを代償としてアメリカに渡し、食糧にかえて国民の飢餓《きが》を一日でもしのぐようにしたい〉と伝えられた。その後、幣原喜重郎《しではらきじゅうろう》総理を通じて目録を差し出されたマッカーサーは、それを受け取ることはなく、〈自分が現在の任務についている以上は、断じて日本の国民の中に餓死者を出すようなことはさせぬ。かならず食糧を本国から移入する方法を講ずる〉と請け合ったといいます。

このときの恩をいつまでも忘れることなく、その感謝の意を述べられた昭和天皇……その姿に、アメリカ国民は、心から感動したのです。

するとその後、天皇の訪米に否定的だったマスコミも、好意的な報道姿勢に変わりました。「ニューヨーク・タイムズ」紙は社説で「三〇年前の仇敵《きゅうてき》、勝者と敗者は今日、政治、経済上のパートナーとなった」とまで書き、このご訪問を温かく報じました。天皇の大御心は、戦争という悲惨な過去を超越したのです。

このように天皇は、日本各地の被災地を訪問されるときだけでなく、毎日、いまこの瞬間も、国民に寄り添っておられます。だからこそ日本は安定している、といっても良いでしょう。

国民も、ごく一部の愚かな共産主義者を除けば、みな天皇を敬っています。この関係は、本当に素晴らしいと思います。

天皇、そして皇室が、どれだけ日本人の心のなかに奥深くまで根付いているか、日本人の精神的な支えになっているか、私は日本に住んで二〇年くらい経ったころ、初めて理解することができました。

天皇がおわし、その天皇を敬う国民が住む国である——このことが、私が日本に住み続ける理由の一つになっていることは、間違いありません。

# 第9章　日本人が世界一の道徳心を持っているから

## ＊気が利く日本人が作る平穏な社会

人と会話をしているときなどに「空気を読む」のは、日本人特有の行動かもしれません。

二〇〇七年の「ユーキャン新語・流行語大賞」候補には「ＫＹ（空気が読めない）」がノミネートされました。場の雰囲気を壊すような発言をする人に対して「ＫＹだ」と突っ込むのが流行《はや》ったのです。しかし私にいわせれば、欧米人のほうが、よほどＫＹだと思います。

空気を読むという行動は、気が利《き》く人でなければできません。そして日本人は総じて気が利く。これもまた日本人の魅力だし、私がストレスなく日本で暮らせる大きな理由の一つだと思います。

二〇一八年九月、テニスの全米オープン決勝で、大坂《おおさか》なおみ選手がセリーナ・ウィリアムズ選手をストレートで下し、グランドスラム初優勝を遂げました。しかし残念なことに、会場では審判の判定をめぐってブーイングが吹き荒れ、ウィリアムズ選手も怒りを露《あら》わにしていました。

すると大坂選手……試合後の勝利者インタビューで、「I'm sorry, it had to end like this（こんな終わり方になってごめんなさい）」と話しました。

この発言にどういう意図があったのか、本人に確認をとっていないので、私には分かりません。実は、大坂選手は、小さいころウィリアムズ選手をテレビで観てテニスを始めました。アイドルとして憧れたのです。ただ、涙ながらにそう語った彼女の姿からは、嫌《いや》みではなく、観客やウィリアムズ選手への気遣い、そして謙虚な思いを感じました。大坂選手は非常に日本的な女性だといって良いのではないでしょうか。

この一言に感動したのは私だけではありません。直後にアメリカ人の多くが彼女を称賛したのです。

すると翌二〇一九年九月五日には、「全米オープン・スポーツマンシップ賞」に大坂選手が選ばれました。日本時間六日の共同通信の報道によれば、〈同協会は「コート上のプレーよりもさらに素晴らしいスポーツマンシップを見せた」とのコメントを添えた〉そうです。納得の受賞だと思います。

ちなみに英語には「気が利く」という表現がありません。もちろん欧米人も、気を遣うことはあります。しかし、すべての言動や行動において、それが定着しているとはいえません。

ところが、日本では、一から一〇までいわなくても、相手が気を利かせて察してくれる。逆も然《しか》りで、自分も相手の気持ちを察しながら話しているということでしょう。結果、大の大人が意見を正面からぶつけ合わせなくとも済みます。そんな日本人が作る社会は、私にとっても、非常に居心地がよいのです。

## ＊安倍総理の高支持率が続いた理由

ただ、必要以上に気を遣ったり、あるいは空気を読んだりするのは、日本人同士だからこそ通用するのだということを覚えておかなくてはなりません。空気を読む国民性には、負の側面もある。すなわち、相手に気を遣うばかりに自分の意見をいわなくなり、結果として何でも他人任せになりがちなのです。

日本人がそうなるのは、学校での教育にも問題があるのかもしれません。アメリカの学校では、必ずディベートの授業があります。アメリカ人は子供のころから、クラスメイトと議論したり、あるいは自分の意見をクラスで発表したりして、ディベートのスキルを学ぶのです。だからアメリカ人は議論が好きだし、いつだって胸を張って自分の意見をいうことができます。

当然、政治家も、空気を読んでばかりではダメ。外交の場で相手の様子ばかり窺《うかが》っていてもダメ。弱気で無能な政治家だと思われてしまいます。特にアメリカ人は、他国の首脳と会談する際に、互いの国益を主張し合うことを好みます。ということは、いいたいことをいわない相手は、尊敬されません。

自国の国益を主張することは絶対に大切です。こんな話をすると、「でもケントさん、国益を主張するのは美徳ではないですよ」などと反応する日本人もいます。しかし、いつから外交が美徳になったのでしょうか？　これでは他国からいいようにやられるだけです。

外交は戦争です。騙《だま》されたら、それは自分が悪いのです。ビジネスにおける交渉の場も同様。自分の利益を求めなければ、相手にいいように使われて終わりです。

日本人の多くは驚くべき道徳心のもと、誠意をもって人と接します。当然、相手も誠意をもって対応してくれると考えています。

しかし、これが通用するのは日本人のあいだだけなのです。それは、中国や韓国に対する外交を見ていれば分かるでしょう。日本人が誠意を見せると、相手は付け上がる。一度でも謝罪しようものなら、相手はさらに謝罪を求めてくる。安倍総理や外務大臣時代の河野太郎《こうのたろう》氏は、その点をよく理解していました。

安倍政権は、アメリカにも謙《へりくだ》ることなく堂々と接し、中韓の圧力にもまったく動じなかった、戦後初めての政権なのではないでしょうか。おまけに核開発問題をめぐって摩擦が生じていたアメリカとイランのあいだに立ち、安倍総理は仲介の労を執《と》りました。主要七ヵ国首脳会議（G7サミット）でも、しばしば議論をリードしました。

こうしたことを見ているので、国民の支持は高止まりし、野党が主張する「お花畑」のような論理は、一顧《いっこ》だにされなかったのでしょう。

## ✻やっぱりノーといえない日本人

ここまで述べてきたように、日本人は気配りができます。何か頼みごとをされたときでも、はっきり「ノー」とはいいません。「難しいかもしれませんが」などといって、無理であることを察してもらおうとします。

私が東京で就職してから三ヵ月が経ったころ、ある銀行に五〇万円の借入枠が付いているキャッシュカードの発行を申請しました。そのとき銀行の担当者は、大きく息を吸って、「難しいですね」といいました。それに対して私は、「じゃあ、頑張ってください」といい残して帰りました。

しかしその後、毎週のように銀行に足を運んでお願いするも「難しい」といわれるばかり。ただ、最終的にはカードが発行されて、二〇万円の借入枠が付きました。結局、銀行は、最後まで「ダメだ」とはいえなかったのです。この経験を通じて、息を吸って「難しい」といわれれば、その意味は「ノー」だと理解できるようになりましたが。

また、納得がいかないのは、「検討します」と「善処します」という言葉。政治家や官僚がよく使います。これは、やらないことを暗示しているわけですが、外国人には伝わりません。

私は、外国人のクライアントには次のようにアドバイスします。「検討します」とは、このままではダメだという意味で、「イエス」といわせるためにはさらなる努力と工夫《くふう》、場合によっては譲歩が必要だ、と。

こうした言い回しをする理由は、正面衝突を嫌う国民性と関係があるのだと思います。日本は狭い国土に村社会を作って暮らしてきたのですから、他人との関係性に気を遣うのは当然なのかもしれません。

一方の欧米人は自己主張が強く、特に私たちアメリカ人は、自分が正しいと思ったら他人が自分をどう見ようが構わずに主張を押し通す傾向があります。そのため、日本人の遠慮深さには驚いたり戸惑ったりはしますが、それでもアメリカ人は、好感を持つと思います。

ある有名なカレーライスのチェーン店での経験を紹介しましょう。米軍の偉い人と都内の店にカレーを食べに行ったとき、彼は店長に対して、娘が基地の近くの店の大ファンだと話しました。そこで、チェーン店で使用しているお皿とスプーンのセットを四人分買って、いずれ娘が結婚するときにプレゼントしたいといい出したのです。もちろん、これらは非売品ですので、ゴマすりの力も借りて、私が彼の代わりに、一生懸命、店長に説明しました。すると結局、店長は売ってくれました。私たちの「主張」が通ったのです。

ちなみに、お皿とスプーンのセットをもらって大喜びしたという娘は、結婚後、父と一緒に店に行って、店長に感謝の気持ちを伝えたそうです。

日本人も、これからの国際化時代に向けて、自分の意見を主張する技術も身に付けておいたほうが良いでしょう。「沈黙は金、雄弁は銀」などという諺《ことわざ》がありますが、それでは国際社会において、あるいは外交で、勝つことはできません。

日本人の道徳心や勤勉性など、その良さを前面に出しつつも、政治でも外交でも歴史でも、日本の世界における存在感をもっと強く発信するべきではないでしょうか。欧米人にも負けないような、しかし精神性の高い自己主張術を磨く——そうすれば、日本人は完璧な存在に近づくでしょう。

## ❋外国人頭取が震災で下した英断

日本に来た外国人は、最初は日本の習慣に戸惑うことはあっても、日本人のことを知れば知るほど魅了されるようになります。それを証明する興味深い話があります。

東日本大震災が発生した当時、アメリカ人の知人は、東京スター銀行の頭取を務めていました。この銀行の前身は東京相和銀行ですが、経営が行き詰まり、まずアメリカのローン・スター・ファンドに売却され東京スター銀行が誕生しました。その後、別のアメリカ人のフアンドが再び買収し、そこに知人は頭取として就任したのです。

二〇一一年、東京スター銀行が仙台に支店を作って間もないころでした。東日本大震災が発生し、この支店は津波で流されてしまいました。すると頭取は、無事だったある都市銀行に連絡をとり、その銀行の二階の一角を借り、キャッシュディスペンサーを置かせてもらいました。

被災者のなかには当然、東京スター銀行に預金している人もいる。ということは、支店が津波で流され、お金が下ろせなくて困っている人がいるはず。その人たちのことを慮《おもんぱか》って、このような対処をしたのです。

このとき頭取は、日本人の部下に対し、トラックで仙台までキャッシュディスペンサーを運ぶよう指示しました。そうして仙台で営業を再開したのですが、ここで問題が生じました。被災者は津波から命からがら避難した人ばかり。通帳やキャッシュカード、印鑑を紛失していた人がたくさんいました。当然です、なかには家を流された人もいたのですから。

それどころか、自分の身分証明証すら持っていない被災者もいました。だから、「私は東京スター銀行に預金している〇〇だ」といっても、それを証明するものは何もなかった。しかし、そうしたお客様に身分証明書の再発行を求められるような状況でもありません。そこで頭取は、大きな決断を下しました。

「たとえ通帳やカード、印鑑がなくても、『東京スター銀行にお金を預けている』という人が来たら、一〇万円までは出してあげてください」

部下にそう伝え、被災者にも発表したのです。

頭取がこのような決心をしたのは、彼もまた、日本人の国民性に魅了されたアメリカ人の一人だったからです。震災に便乗して被災者を名乗り、一〇万円を騙《だま》し取るような日本人はいないだろうと確信していました。

また頭取は、震災直後の日本人の姿を目《ま》の当たりにしていました。暴動や略奪などの事件は皆無。そして被災者は、みな黙って耐えていました……助けに入ってくれた人たちへの思いやりまで示して。そうした日本人の姿に感動し、だからこそ大きな決断を下すことができたのです。

この決断により、東京スター銀行に預金していた被災者は、受け取った一〇万円で洋服や食料などを買うことができました。

二〇一八年一一月、私は東京スター銀行の東京の本店に行った際、担当者に「震災のときは素晴らしい決断をされましたね。ところで結局、嘘をつかれ一〇万円を騙し取られて、銀行はいくら損をしたのですか?」と尋ねました。すると担当者の答えはこうでした。

「いや、損どころか、そんな状況のなかで一〇万円を引き出すことができた人は、この銀行にとって不動のお客様になりました。こんなに安い宣伝費はありませんよ」

つまり、銀行の対応に感謝した人たちは、いまも東京スター銀行と深く付き合っているということです。なかには「あのときのことは一生忘れない」と涙してくれる人までいたそうです。

決断を下したのは頭取です。ただ、頭取が決断できたのは、日本人の素晴らしい国民性、すなわち道徳心が背景にあってのことでした。

ちなみに、二〇一九年に東京本店を訪れたときに、担当者は、当時の対応が正式にマニュアル化されたと教えてくれました。本当に驚きです。

## ❊忠誠心の強い部下が反対したわけ

話はまだ続きます。震災直後に頭取が指示を下し、社員がトラックでキャッシュディスペンサーを仙台まで運びました。その際、頭取は帰りの分のガソリンを車に積んでいくよう指示しました。被災地は混乱状態で、ガソリンスタンドは営業していません。途中で給油できそうもないから、あらかじめガソリンを積んでいくように指示したわけです。

しかし、部下たちは真面目な日本人です。「それはできません。ガソリンを車に積むのは法律違反です」と拒否。上司に忠誠心を持っている部下ですが、その一方で、非常時にも決まりを守ろうとする。これは日本人の良いところであり、融通《ゆうずう》が利かない負の側面でもあるわけです。しかし結局、ガソリンを積まずに出発したため、帰りのガソリンを仙台で調達できず、帰京するのに苦労したそうです。

ところで憲法改正の必要性を訴える保守派は、緊急事態条項を付加するべきだと主張しています。緊急事態条項とは、大災害や他国からの武力攻撃により国家の秩序が脅かされる危機的状況に直面したとき、政府などの一部機関に大きな権限を与えることを可能にする規定のこと。災害の多い日本で、この規定がないのは大問題です。一刻も早く整備すべきだと思います。

——というのも、実は私が所属する教会の聖典にも、緊急事態条項があるのです。この聖典には戒《いまし》めが書いてあるのですが、「されど書き誌《しる》さるるところのものにかかわらず（中略）」（教義と聖約第四六章第二節から抜粋）と書いてあります。つまり、「戒めが書いてあるが、そうではない場合もある」という意味です。言い換えれば、人には守るべき戒めがあるが、それに該当《がいとう》しないケースもあるということです。これも立派な緊急事態条項だといえるでしょう。

こうしなければならないというルールは重要です。ただ、そのルールを守っていられない状況も発生するわけです。緊急事態条項は、日本の憲法には、絶対に必要なものだといえましょう。

## ❋親和性が高い日本とアメリカ

個人の個性よりも集団のルールを重んじ、コンセンサスを求める。何かを主張するときも、まず集団の空気を乱すことがないよう、十分に考えてから発言する。それが日本人です。集団の空気を守るため、仲間感覚を重視して処理します。時には組織のために自分を殺すこともあるほどです。

その日本には、「出る杭《くい》は打たれる」という諺《ことわざ》があります。おそらく日本では、そうして個人よりも集団を優先するため、全体としての秩序が保たれているのです。

また、「長いものには巻かれよ」という諺もあります。その背景には、日本人が権力を信用していることがあるでしょう。権力に従い、その指示を守っていれば、悪いようにはされないという信頼……すなわち「お上意識」があるのです。

たとえば日本の会社では、よほどの理由がない限り、経営者は社員をクビにしません。減給や異動などで済ませ、何とか解雇を避ける傾向が強いのです。

そのため、無意味と思えるようなルールでも、そのルールさえ守っていれば、日本人は安心感を得られます。そして、ルールが追い付かないような状況に陥ると、義理と人情によって問題を解決します。

一方、アメリカでは、災害に遭えば暴動や略奪もあります。これは多民族国家の宿命なのでしょう。アメリカでは自分で自分を守らなければならず、そのため銃の所持も許されています。警察などの権力を当てにせず、自力で物事に対処するのが当然という考え方です。ちなみに、会社で解雇されるケースも日本より断然多いのです。

子供のころから制服などによって画一化されて育つ日本人は、確かに集団になると、軍隊のような強さを発揮します。言葉に出さずとも以心伝心で相手の考えていることを察し、その要求に応える日本人……しかし自分たちのルールに従わない人間には排他的です。これも、先述の移民に対するネガティブな意識に通底するところがあるのでしょう。

かたやアメリカ人は、自分と他人が違うのは当たり前、と考えています。そのため自分の利益を主張し、いいたいこともいいますが、他人が成功しても嫉妬《しっと》したりしません。他人は他人なのです。

そもそも日本人は、「許されていることだけをやる」という国民ですが、アメリカ人は、「禁止されていないことならば何をやっても良い」と考える国民。考え方が百八十度違うのです。

先述のエピソードで触れた東日本大震災では、米軍が「トモダチ作戦」を展開しました。

誤解のないように書いておきますが、災害救助は日米安全保障条約の対象外です。しかしこうした場合、アメリカ人は全身全霊で他者に尽くします。特に人から感謝されると感激し、際限なく力を発揮するのがアメリカ人です。このように、アメリカには素晴らしいダイナミズムがあります。

そんなアメリカと日本は同盟国で、自由と民主主義を共有しています。加えて、ここまで述べてきた日本の静的な堅実性とアメリカの動的な楽観性とは、極めて相性《あいしょう》が良いと思います。まるでプラスのネジとドライバーのように。

かつては干戈《かんか》を交《まじ》えた国同士ですが、多くの日本人は、野球や映画、ロックやファッションなど、アメリカのソフトカルチャーが大好きです。同様にアメリカでも、近年は、マンガやゲーム、日本食や武道など、日本の文化が注目されています。また、日本人の素晴らしい国民性を知るアメリカ人も急増しています。

私が日本に住み着いてしまったのも、こうした両国民の相性の良さのなせる業《わざ》なのかもしれません。

## ＊世界が感動した日本人の道徳心

日本人の国民性を示す行動は、アメリカだけではなく、海外でもたびたび称賛されています。先にも述べましたが、二〇一四年六月にブラジルで開催されたサッカーＦＩＦＡワールドカップでの日本人の行動は、世界を驚かせました。

ブラジル大会で、日本代表が大切な初戦のコートジボワール戦に敗れた直後のこと。スタジアムの日本人サポーターは、敗戦を悔しがりながらも、なんと応援席に残されたゴミをみなで拾い始めたのです。なかには、相手チーム側のスタンドまで行ってゴミを拾う日本人サポーターまでいました。

この模様を撮影したカメラマンは、写真を通信網に流しました。この報道を見た世界中の人々は、一瞬、何が起きているのか理解できなかったと思います。そして、その意味が分かったとき、衝撃を受けたのです。日本人は自分たちが持っている常識では想像すらできない行動をとっていたからです。

この模様は世界中で驚きとともに報道され、アメリカの三大ネットワークのＡＢＣラジオニュースは、トップで扱いました。

また、世界各地に駐留する米軍や基地関係者に向けて放送しているラジオ局ＡＦＮも、大きく取り上げました。このとき、たまたまラジオを聴いていた私は驚いて、すぐに日本人の友人に電話をかけました。「ラジオで凄いことを聞いたよ」と。しかし、友人はまったく驚きませんでした。「日本人なら、それが当たり前ですよ」と苦笑するだけで――。

このとき感じたのは、「私は何年日本にいれば、日本人の当たり前が分かるようになるのだろうか」ということ。長い日本での在住歴を誇る私も、まだ日本人の普通の道徳心に追い付いてはいません。その友人は、「そんなことで驚く外国人は馬鹿だ」とまでいっていました……悔しかったですが、私は何も言い返せませんでした。

　ワールドカップに限らず、応援するチームが大勝負で負けた場合、サポーターは怒り、嘆き、悲しみ、興奮して何をしでかすか分からないものです。ときには発煙筒を焚《た》いたり、車を横転させたり、ショーウインドーを破壊したり、放火したりするなど、暴動まがいのことが起きるケースは珍しくありません。それがサッカー界の常識です。

　いまサッカー界の「常識」と書きましたが、私が知る編集者は、南米のペルーで、以下のような経験をしています。

　彼は、ワールドカップの南米予選のために首都のリマに移動してきた某国のナショナルチームと同じホテルに泊まっていました。すると試合前日、ペルー人のサポーターが多数集まり、笛や太鼓で騒音を撒《ま》き散らし、挙げ句の果てには花火まで打ち上げたため、まったく眠れなかったそうです。当然、某国の選手も、睡眠不足で試合に臨んだことでしょう。少なくともこれは、南米での常識なのだそうです。

　そしてブラジル大会の四年後の二〇一八年、ロシアで開催されたワールドカップでも、外国の記者たちは日本人サポーターのことを忘れていませんでした。日本戦の会場に赴《おもむ》き、サポーターを取材したのです。

するとそ日本人は、当たり前のような顔をして、四年前と同様、やはり試合後にゴミ拾いをしていました。このときも大々的に記事にされたので、世界中の人々は、「ブラジルのときだけではなかったのか」「日本人にとってこれは当たり前のことなのだ」と納得しました。

その後、二〇一九年六月に開催されたＦＩＦＡ女子ワールドカップ、そして第１章で述べた通りラグビーワールドカップでも、日本人は同じ行動をとりました。このような日本人の道徳心は、世界一だといって良いと思います。

私が日本に住み続けるわけが、だいぶお分かりになってきたのではありませんか。

# 第10章　子供が一人で電車に乗れるほど治安が良いから

## ＊巨大台風に襲われた成田空港で

本書を執筆中の二〇一九年九月九日の早朝、台風一五号が関東に上陸しました。最大瞬間風速五七・五メートルという強力な台風によって、千葉県南部は停電や断水などの大きな被害を受けました。

この台風により、成田国際空港（以下、成田空港）では約一万七〇〇〇人の利用者が足止めされ、空港内で一晩過ごした人も多かったようです。そのなかには二一歳の女子大生もいました。「プレジデントオンライン」が九月一〇日、〈女子大生が一人でも安心して眠れた「成田の夜」〉という記事でリポートしています。

女子大生は中国・上海《シャンハイ》への旅行から帰国。九月九日の午後一〇時ごろに成田空港に到着してロビーに出ると、〈地面に座り込む人、旅行会社のカウンターでなにかを尋ねる人、電話を掛ける人。外国人観光客、家族連れ、サラリーマンなど大勢の人でごったがえしている〉状況だったといいます。

空港から京成本線に乗って帰るつもりが、乗り場も大混乱。やがて終電もバスもすべて終わってしまい、多くの人は空港で一夜を過ごすことを余儀なくされましたが、当然、彼女もそのなかの一人でした。

仕方なくコンビニで飲み物とお菓子を購入した彼女は、地下一階のエスカレーター脇にスペースを確保。始発までそこで一晩過ごすことを決めました。

このとき空港では寝袋が配布されており、たまたま近くにいた男性が、彼女の分の寝袋をもらってきてくれたそうです。彼女はその寝袋に入って朝まで眠りました。

空港で過ごした一晩を、記事では以下のように振り返っています。

〈成田空港で一人で一夜を過ごしたわけだが、不安はなかった。声を荒らげることなく丁寧に対応する空港職員、外国の地で空港に閉じ込められたというのに冷静な外国人観光客、互いに声をかけ合う利用客。おおむね皆この状況を受け入れ、ある種の一体感があったように感じる〉

また、この「一体感」です。

二〇一一年三月一一日の東日本大震災のときと同様、空港で足止めされていても、皆で協力し合いながら、ジッと耐えたのです。いつだって日本人のモラルは素晴らしい、そう強調したいと思います。

この記事で改めて感じたのは、日本の治安の良さです。若い女性が、たった一人で、安心して一晩過ごせる。しかも周りに男性がいても危険な目に遭わない。それどころか寝袋まで取ってきてくれた。彼は真の日本男児です。

## ＊インターホンの代わりになる方法

前記の女子大生の体験によく表れているように、日本にいる外国人は、大概《たいがい》「信じられないくらい治安が良い」といいます。かくいう私も来日してすぐ、日本のあまりの治安の良さに驚いた一人です。

当時、九州では、玄関の鍵をかけない家がたくさんありました。それは東京でも同じ。都心部のマンションの住人は施錠《せじょう》していたものの、下町に住む人は鍵などかけない、そんな時代だったのです。

また、当時はインターホンがなくて、引き戸をノックしても「コンコン」と大きな音は鳴らない。どうしたら住人に出てきてもらえるのか分からず、困ったものでした。しかしすぐに、ある事実に突き当たりました。勝手に玄関の戸をガラガラと開けて、「ごめんくださーい！」と叫べば良いのです。誰もいないことも多々ありましたが……。

一方、アメリカでは、玄関の鍵をかけずに出かけることなど考えられません。鍵もオートロック方式が主流です。もし鍵をかけないまま出かけたら、「空き巣さん、どうぞ家財道具を持っていってください」といっているようなもの。確かに、当時の日本にも空き巣の被害はあったでしょう、ただそれは、非常に稀《まれ》なことです。だから鍵などかける心配はなかった。そんな国は日本だけです。

ちなみに、私は自宅のドアに鍵を挿したまま出かけてしまったことがあります。外出中にそれに気付いて、空き巣に入られていたらどうしようと不安を感じながら帰宅。すると、なんと鍵はそのまま……そんなことが何度かありました。アメリカでは、こんなことは考えられません。

## ✻空港で車に鍵を挿したままでも

鍵といえば、ほかにも失敗談があります。

羽田空港から飛行機に乗って地方に行ったときのこと。自宅から空港までは車で行ったのですが、駐車場で下車してロックしようとしたその瞬間、ちょうど仕事の電話が入りました。そのため私は、鍵をドアの鍵穴に挿したまま車を離れてしまったのです。

しかし、鍵がないことに気付いたのは飛行機が離陸したあと……現地に着いて、自分の荷物をひっくり返して鍵を探しましたが、やはりありません。

私はドアに挿したままだと確信し、空港の駐車場に電話しました。応対してくれた駐車場のスタッフに事情を話すと、私の車を確認してくれました。すると鍵は鍵穴に挿さったまま……誰も車を盗んだり、車内を物色したりしていませんでした。このときも、日本は本当に安全な国だと、改めて実感しました。

一方、私の長男の話。彼は、かつて自分の車をサンフランシスコ市内の駐車場に止めたときに、パソコンをトランクに入れてから車を離れました。座席に置きっ放しにすると、ウインドーを割られて盗まれてしまう可能性があるからです。

そうしてわざわざトランクにしまったのですが、用事を終えて車に戻ってみると、トランクがこじ開けられていた……パソコンもなくなっていました。おそらく窃盗犯は、息子がパソコンをトランクにしまうところを見ていたのだろうと思います。

ちなみにアメリカでは、車のなかに現金を置きっ放しにしてはなりません。かなり高い確率で車上荒らしの被害に遭うからです。こうした車上荒らしの多くは麻薬中毒者。たとえばアメリカでは、場所によってコカインが二〇ドル程度で買えます。その二〇ドルのために、車のウインドーを割って、お金を奪うのです。

そういえば友人のテキサス親父は、日本の駅前に自転車がたくさん止まっていることに驚いていました。「もしこれがアメリカだったら、窃盗団がトラックで乗り付けて、まとめて持っていってしまうだろう」といっていました、もちろん売りさばくために……私も彼の考えに心から同意します。

一九七二年、私は北九州市の国道沿いに住んでおり、古い自転車を持っていました。いつも鍵をかけず、住んでいた建物の前の歩道に置いていたのですが、半ばこれは、いつになったら盗まれるかという実験でした。結果からいうと、五ヵ月目になって、やっと持っていかれました。

さらにもう一つ、日本の治安の良さを証明しているものがあります。全国の至る所に置かれた自動販売機です。街なかだけでなく、田舎の畦道《あぜみち》にポツンと設置されていることもあります。

もちろんアメリカにも自動販売機はあります。が、置かれているのは人気《ひとけ》の多い場所に限られます。人気のない場所に設置したら、なかにあるお金欲しさに、自動販売機ごと持っていかれることになるからです。だから昨今では、カードでしか買えない自動販売機が主流になりました。日本に現金で買える自動販売機が膨大な数で存在するということは、すなわち治安が良いことの証左なのです。

## ❇子供が一人で電車に乗れる不思議

さて日本に来た当初、驚くとともに感心したのは、子供が一人で電車に乗るという、日本人なら当然と感じる光景です。電車で登校する子供もいるし、街に出かける子供すらいます。一方のアメリカでは、子供の安全を確保するために、小・中学生が一人で公共交通機関を利用することはほとんどありません。誘拐や強盗が多発しているからです。

そのため子供たちは、州によって違いますが、一般的には、小学生だったら一・六キロ、中学生なら二・四キロ、高校生の場合は三・二キロ以上学校から離れたところに住む場合は、通常、スクールバスで学校に通います。ごく近いところに住んでいる子供は歩いて通いますが、中途半端な距離だと親が車で送ることが一般的です。

そして日が暮れてからは、ほとんどの親は、子供たちが自転車で出かけることを禁止しています。どこかに行くなら、親が車で送ります。まるで親は、タクシードライバーのようです。

さて、ある日、当時七歳の次男は、私たち親に内緒でボーリングをするために、一人でバスに乗り、東京・港区にある東京アメリカンクラブに行きました。すると電話が鳴りました。「東京アメリカンクラブですが、お宅の息子さんが遊びにきています」と。「ああ、そうですか。それで何のご用ですか?」と聞いたところ、「八歳にならないと一人で来てはいけません」とのこと。私が理由を聞いたところ、「子供の安全のためのルールです」といわれました。

私の感覚は、完全に、日本人仕様になっていたのです。

子供が一人で出かけられるような社会は天国のように素晴らしい――そのことを、日本人は、私たち外国人の話から実感してください。おかげで息子が逞《たくま》しく育ってくれたことも、ここに付け加えておきます。

さらに日本では、酔っ払った人が電車で寝ていても、滅多《めった》なことは起こりません。財布をすられることはあるかもしれませんが、終点まで乗り過ごしても、駅員さんに起こされて、何事もなかったというのが普通です。

そのため金曜や土曜の晩には、路上で寝ている酔っ払いも見かけます。こんなことは、ニューヨークの地下鉄や街頭では、絶対にあり得ません。三〇分以内に身ぐるみ剝《は》がされ、おしまいです。

ただ、そんな日本だからこそ、あの北朝鮮による拉致《らち》事件が起きたのかもしれません。一九七七年一一月一五日、新潟市では、当時中学一年生だった横田《よこた》めぐみさんがバドミントン部の練習を終え、夕方、一人で下校していました。そうして家まであと少しのところで二人の北朝鮮人に襲われ、拉致されました。それから四〇年以上の時が経ちました。二〇〇二年には日朝首脳会談が行われ、北朝鮮の金正日《キムジョンイル》総書記が拉致の事実を認めました。にもかかわらず、いまだに横田めぐみさんは戻っていません……。

平和な日本だからこそ、少々暗くなっても、塾帰りに子供が道を一人で歩ける。しかし、そうした社会の安心感を邪悪な輩《やから》たちが突き、子供に危害を加える可能性があるのです。

この天国のような国の現状を変えないためにも、日本に住む外国人も含め、私たちは一緒になり、力を合わせていかなければなりません。

私の愛する家族が、この天国のような国から、あの独裁者が民衆から収奪する国に連れていかれることなど、絶対に想像したくありません。

## ❋遅れるのは当然のイギリス鉄道

ところで、日本ほど交通網が発達した国はないでしょう。まずは鉄道。最北端の北海道・稚内《わっかない》駅から最南端の鹿児島県・西大山《にしおおやま》駅まで、沖縄や離島を除く四六都道府県を、電車だけで縦断することができます。

特に素晴らしいと感じるのは、私が頻繁《ひんぱん》に利用する東京の鉄道です。ＪＲには山手線や中央線など、在来線だけでも二〇を超える路線があります。加えて東京メトロが九路線、そのほか都営地下鉄や私鉄も合わせれば、八四路線にも上ります。

そのため、人身事故で一つの路線の運行が停止したとしても、別の路線を使って迂回《うかい》すれば、目的地に行くことができます。日本に来たばかりの外国人は、ＪＲと地下鉄と私鉄が入り交じる東京の鉄道網に混乱するようですが、慣れればこれほど便利な街はありません。

加えてどの路線も本数が多く、時間も正確です。それは新幹線や特急も同様で、東海道新幹線は平均三～四分間隔で、東京～新大阪間を「のぞみ」は約二時間三〇分のスピードで走っています。こうして一日に約四六万人もの乗客を運び、しかもいままで大きな事故が一度もない……これは奇跡といっても良いでしょう。

たとえば私の知人のケース。彼は十数年前、イギリス・ロンドンのユーストン駅からマンチェスターまで特急に乗ったそうです。普段なら短時間で着く路線ですが、その日は事故が起きたわけでもないのに停車を繰り返していました。そのため車掌に理由を聞くと、以下のように答えたのだそうです。

「これがブリティッシュレイル（イギリス鉄道）だからですよ」

つまり、理由もなく電車が遅れるのは日常茶飯事《さはんじ》だということ。結局、マンチェスターに着くまでに六時間もかかったといいます。それでも、周りにはイライラしている乗客は一人もおらず、みな黙って音楽を聴いたり、車窓を眺めていたとのことでした。

イギリスでは電車の遅延は当たり前なのですが、ドイツ在住の作家・川口《かわぐち》マーン恵美《えみ》さんは、もっと凄いことを、著書『住んでみたドイツ　8勝2敗で日本の勝ち』で書いています。曰《いわ》く、ホームで列車を待っていたところ耳を疑う放送が流れてきました――〈次の列車には六号車が接続していません。六号車の指定券をお持ちの方は、他の号車で空席を探してください〉……これでは指定券を買う意味がなくなってしまいます。

以前、ローマの空港からホテルの最寄り駅まで電車に乗った際には、車内の電光掲示板にダイヤに載っている本来の到着時刻と、遅延時刻の両方が表示されていました。それほど遅延が多いということなのでしょう。

どうです、日本がいかに凄い国かお分かりになりましたか？　いや、イギリスやドイツやイタリア、そしてアメリカがダメなのかもしれませんが。

## ＊プラハと東京のタクシーの大違い

また東京は、路線バスもタクシーも充実しています。特に日本のタクシーで特筆すべき点は、チップが不要で、ぼったくりも皆無であること。他国では、料金メーターを使わなかったり、あるいは高い料金を要求してきたりと、酷《ひど》い事例を聞きます。タクシーに乗るたびに運転手と料金交渉をしなければならない国もあります。

私の知人がチェコの首都プラハに行ったときの話。タクシーの運転手に空港から市街地までお願いしたところ、やはり法外な料金を要求されたそうです。交渉の末、やっと料金が決まったものの、走り出してしばらくすると運転手が車を止める……そして、「やはりその料金では無理だ」といい出しました。しかし、その場所は、すでに空港から遠く離れており、大きなスーツケースを持っていたので、仕方なく運転手がいう料金を払ったといいます。

ヨーロッパのEU加盟国でも、このようなことが当たり前のように行われている。私は日本のタクシーで不愉快な経験をしたことは、一度もありません。

公費を使って深夜、官庁から帰宅する公務員に、ビールやつまみを提供していた「居酒屋タクシー」が問題になりましたが、これとて「ぼったくる」運転手がいないから成立する構図です。左党のみなさん、日本に住んでいて良かったですね。

## ※FOXニュースが驚いた東京駅の景色

ところで日本人は、ヨーロッパやアメリカの街並みを見て、とても綺麗だといいます。しかし、私にいわせると逆です。日本の街並みこそ綺麗で、そうした環境が、治安の向上にも役立っているように思います。

確かに欧米の街には電柱や電線は見えないし、建物のデザインも統一されています。だから、一見すると綺麗に見えるかもしれません。しかし、よく地面を見てください、建物の壁を見てください。ゴミだらけだし、落書きだらけです。

日本でも、さすがに土曜や日曜の早朝に渋谷や六本木に行くと、路上には酔っ払いたちが捨てていったゴミが散乱しています。しかし、日が昇ってしばらくすると、ゴミは跡形もなく消え、元の綺麗な街に戻っています。商店街の人たちが力を合わせて掃除しているからです。

二〇一九年六月末にはG20大阪サミットが開催され、世界の首脳が日本に集結しました。同時に、世界中のメディアが日本にやってきました。

サミット開催中のある日、私はニュース専門放送局のFOXニュースの生中継を観ていました。同局にはタッカー・カールソンという有名なキャスターがいます。

そのカールソン氏はG20に合わせて来日すると、東京駅の前で中継用のカメラの前に立ちました。そしてカメラに向かい、以下のように話し始めたのです。

「みなさん、見てください。ここは本当に綺麗です。ゴミが一切落ちていない。落書きもありません。こんなことがニューヨークであり得るでしょうか。そして電車は時刻表通りに動いています。何なんだ、この国は！」

ニューヨークやワシントンDCからやってきた人は、綺麗な東京の街に驚きます。割合、綺麗なユタ州から来た私も驚きました。しかし日本人にとっては、これが当たり前。江戸時代からずっとずっと街は綺麗だったし、清潔だったし、それゆえなのか安全だったのです。

## ＊江戸時代の公衆衛生に見る日本の先進性

ところで、私が初来日した一九七〇年代初めの福岡には、少し田舎に行けば、畑や田んぼの近くに「肥溜め」と呼ばれるものがまだ残っていて、自分の存在感を主張するかのように、かぐわしい（？）香りを放っていました。

「肥溜め」とはご存じの通り、人の屎尿《しにょう》や煮炊きしたあとの灰やゴミなどの廃棄物を肥料に変える、リサイクルシステムです。このリサイクルシステムは鎌倉時代に始まり、江戸時代には完全に確立していたといいます。

しかし、江戸時代までの日本は後進国だったと信じる人々が憧《あこが》れる先進国、ヨーロッパでは、中世から一九世紀初頭の近世に至るまで、一般家庭にトイレがないのは当たり前でした。人々は「おまる」で用を足し、溜まった屎尿は夜のあいだに家の窓から投げ捨てていたのです。

ヨーロッパの華やかなイメージの代名詞ともいえるベルサイユ宮殿の舞踏会に集まった貴族階級の紳士淑女ですら、あの美しい宮殿の庭先で、平然と大小の用を足していました。

もっともそのおかげで、フランスを中心に香水が発達し、紳士淑女たちが道端に散乱する屎尿を踏まないよう、ハイヒールが開発されたそうですから、世の中は面白いものです。

リサイクルの発達という点だけではなく、公衆衛生の問題を考えてみても、昔の日本社会の先進性が窺《うかが》えます。

ちなみに、一九世紀以降の近代になっても、ヨーロッパ諸国でペストやコレラなどの疫病がしばしば流行したのは、人々が屎尿を下水処理しなかったからです。中世ヨーロッパの全人口の二五％以上は、これらの病気で死亡していたといわれています。

そしてロンドン、ベルリン、ハンブルクの下水道の本格的な建設は一八五〇年ごろから。つまり、日本では江戸時代が終わろうとしていた時期にやっと始まりました。

屎尿を窓から道路に投げ捨てる行為が日常的だったという事実を知ると、その当時の私のご先祖さまたちには、道徳心や羞恥心《しゅうちしん》がなかったのだろうかと情けなくなってしまいます。同時期の日本人のほうが、はるかに先進的だったのではないでしょうか。これもまた、日本人の凄いところなのです。

## ❇公衆便所を撮影するアメリカ人

以前、テレビで観たのですが、あるアメリカ人が日本の公衆便所を撮影しているのです、日本のトイレがあまりにも綺麗だからという理由で……日本好きの私でも、さすがにそんなことはしませんが。

確かに日本のトイレは世界一綺麗です。国によっては、床が糞尿《ふんにょう》でビショビショになっていたり、便座が取れていたりと、それが当たり前のようになっています。その点、日本では、どこでも安心してトイレを利用することができるといえましょう。これも治安の条件の一つだと思います。

余談になりますが、アメリカの歌姫マドンナは、訪日中にウォシュレットの大ファンになり、お国に持ち帰ったとか。

さて、日本の街が綺麗である一方、ゴミ箱はそれほど多く設置されていません。一九九五年に発生したオウム真理教による地下鉄サリン事件を機に、ゴミ箱がなくなりました。

その後しばらくして、駅などにはまたゴミ箱が設置されるようになりましたが、中身が透けて見えるタイプのものに代わりました。爆発物等を仕掛けられないようにする治安対策の一環です。

すると来日した私の長男が、「日本はゴミ箱が少な過ぎるよ」と文句をいいました。私は「みんなゴミを持って帰るからだよ」と説明しておきました。ワールドカップでの日本人サポーターの善行も、同じ意識のもとに行われたことだと思います。

近年、日本人のパリ在住者が中心になって、街で煙草の吸い殻やゴミを拾う活動をしています。最初はパリっ子に煙たがられ、白い目で見られていたそうですが、いまでは活動参加者の九割がフランス人なのだそうです。日本のこうした素晴らしい精神が世界中に広まってくれたら嬉しいと、私は心から思います。

もう一つ。私は日本の街を歩いて、犬の糞《ふん》を踏むことは、ここ三〇年間、一度もありませんでした。飼い主のマナーの良さも褒《ほ》めなくてはなりません。そう、散歩中の治安も頗《すこぶ》る良いといえましょう。

日本人はこれまで、世界一の治安の良さも含め、自国の良さを積極的に世界に広めようとはしませんでした。アニメやマンガの素晴らしさも、まず海外の人たちが勝手に見つけ、そして熱狂したのです。

年々増え続ける外国人観光客は、すぐに数えきれないくらいの日本の魅力に気付きます。今後は国を挙げて、もっともっと世界にアピールしてもらいたいと思います。なぜなら、日本の一番のファンが、この私なのですから。

# 第11章　貧富の差が極端に少ない社会だから

## ＊世界が羨む国民皆保険制度

日本はアメリカやそのほかの国と比べると、明らかに貧富の差が少ないといえましょう。これもまた、日本の優れた点だと思います。

大金持ちは少ない一方で、明日の食事に困っている人も少ない。体さえ元気ならば、仕事もたくさんあります。実際、二〇一八年の有効求人倍率は一・六一倍で、大学生や高校生の就職率も高水準を維持しています。

また、会社は「疑似《ぎじ》家族」のようなものなので、社長と社員の給料の差もそれほど開いていません。つまり、欧米の会社のように社長が富を独り占めするわけではないのです。

このような日本にあって、制度として優れていると思えるのは、国民皆保険制度です。イギリスやカナダにも日本と同様の制度がありますが、アメリカではまったく違います。

アメリカでは、六五歳未満の人は、サラリーマンなら雇用主を通じて民間の健康保険に加入することになっています。保険料を会社が全額負担するのか、個人が部分的に負担するのか、あるいは全額を個人が負担しなければならないのか、この点が重要な雇用条件になります。だから、就職または転職するときには、給料の額はもちろん考えますが、保険がどうなるのかも計算しなければなりません。

一部の中小企業には保険がなかったりするので、自分で民間健康保険会社と契約します。もちろん自営業の人もそうなります。

かつては、生命保険同様、既往症がある場合、加入することができませんでした。しかし、バラク・オバマ前大統領の任期中の二〇一〇年三月に「医療保険制度改革法」（通称オバマケア）が成立しました。この法律によって既往症を、加入拒否の理由にすることが禁止されました。結果、オバマケアが始まってから、民間の保険料が著しく高くなりました。そのため、公務員や大企業、労働組合がある会社の社員は、断然有利になったのです。

民間の健康保険は州ごとに認可されています。しかし、保険料の引き上げが認可されないなどの理由で儲からないと判断すると、保険会社はその州から撤退してしまいます。私も以前、加入していた保険会社が急に撤退してしまったことが、二度もありました。突然、「〇月〇日に保険契約を解除する」という一方的な通知が届いたのです。

そうなると、別の保険に入り直さなければなりません。しかし、ユタ州では保険会社の撤退が続き、住民が加入できる民間の保険会社は、たったの三社になってしまいました。

私が代理店に相談したところ、一度に三社とも同時に申請せよといわれました。なぜなら審査書類のなかに、「最近、他社に加入を断られたことがあるか」という質問があり、もし一社だけ申請して断られた場合、残りの二社にそのあとで申請すると、はねられてしまうからです。こんな保険会社を不審に思うのは私だけでしょうか。

このような制度だと、低所得者は保険料が払えないので、健康保険に入ることができません。そのため、予防接種、妊娠中の治療、小さな病気の治療などを受けられず、健康状態が悪くなることが多々あります。しかし、大病や大怪我をしたときには、保険に未加入であっても、病院に行って最低限の治療を受けるしかありません。

すると、とんでもない額が書かれた医療費の請求書が送られてくる。当然、払えるわけがないので、病院は、経済的に余裕がある人たちの医療費に上乗せして補塡《ほてん》するのです。

オバマケア導入前には四四〇〇万人の無保険者がいましたが、オバマケアの政策によって、二〇一七年までに二八〇〇万人（保険料が払えるのに自分の意思で保険に加入しないと決めている人も含む）にその数は減りました。低所得者が新たに開設されたネット上の医療保健取引所を通じて保険に加入できるようになり、補助金まで支給されました。

また、オバマケアではアメリカ国民はもちろん、永住権保持者や労働ビザを持つ外国人にも医療保険の加入を義務付け、加入しない場合には罰金を取ることにしましたが、根強い反対のため、現在は廃止されました。

こうして低所得者が病院に行けるようになったのですが、問題は中所得者と高所得者です。彼らの保険料が一気に高くなり、薬さえ買えなくなってしまいました。要は、低所得者も保険に加入し、医療を受けられるようになったのですが、中所得者以上の人がその負担を強《し》いられたわけです。

もう一つの問題として、処方薬が他国と比べ非常に高額なので、二〇一九年一二月現在、アメリカ議会では法改正を急いでいます。

こうして、たとえば私の友人の場合、オバマケアが適用される以前の保険料は年に約二〇〇〇ドルだったのですが、二〇一四年に新制度が適用されると、それが倍になってしまいました。

アメリカの医療は世界最先端の技術を誇ります。しかも、それが適時にかつ均等に国民に届くといわれています。その代わり医療費は高い。二〇一八年の医療費は対GDP比で約一七%でした。世界一の高さです。対照的に、二〇一八年の日本の医療費はGDPの一〇・九%で、OECD平均の約九%よりもやや高いくらいです。

とにかくアメリカの健康保険は高すぎるし、契約内容によって、自己負担率も違います。そして、自己負担率は保険料の額に反比例しています。自己負担率の低い場合、保険料が高い。逆に、安い保険料だと、自己負担率は高くなります。それゆえに、健康に関する国民の意識が極めて高いのです。

オバマケアは国民皆保険実現の小さな第一歩でした。が、国民の抵抗が強く、現在、憲法違反かどうかがアメリカ最高裁判所で争われています。

日本でも、もちろん高所得者となれば、それなりに保険料は高くなりますが、一般のサラリーマンはさほど痛痒《つうよう》を感じていないでしょう。

ある評論家が「日本は唯一うまくいった共産主義国家だ」といっていました。もちろん、それは冗談ですが、この国民皆保険制度は、日本人が世界に誇るべきものなのです。

日本では条件によって差はありますが、一般的に医療費の三割を負担すれば、誰でも病院の診察が受けられます。三割くらい負担するのは仕方ないでしょう。もし負担がゼロになったら、毎日のように病院に通う人が出てくるかもしれないのですから。

また、高額療養費制度も優れています。これは、同一の月にかかった医療費の自己負担額が、定められた上限額を超えた場合、超えた分が後で払い戻される制度。これがあれば、低所得者も、高度な医療を受けることができます。

ただ、日本の国民皆保険制度が素晴らしい反面、それが健康への無関心を助長する一因でもあると私は感じています。健康への関心を高める一次予防は、如何《いか》なる治療にも勝るのです。

ちなみに、経済協力開発機構（ＯＥＣＤ）は二〇一五年、先進国の医療に関する報告書をまとめました。その報告書によれば、一年のうちに病院に行く回数はアメリカ人が平均四・

〇回に対して、日本人は一二・九回です。これは先進国の平均の約二倍だといいます。日本人は病院に行き過ぎだといわれれば、それまでですが、世界一恵まれた環境で暮らしていることは間違いないでしょう。

## ＊実は恵まれている日本の年金制度

二〇一九年一月に開会した通常国会では、年金制度が問題になりました。金融庁の金融審議会が、「定年後、夫婦で九五歳まで生きると、年金以外に約二〇〇〇万円が必要」との試算を載せた報告書を作成。これをめぐって野党は、政府を責め立てました。要は政争に利用したわけですが、超高齢社会において、日本の年金制度が限界に来ていることは間違いないでしょう。

アメリカには「ソーシャルセキュリティー」という年金制度があります。日本ほどではありませんが、アメリカでも少子高齢化が進んでいます。そのため、このシステムは、早ければ二〇三七年には破綻《はたん》すると予想する専門家がいる一方、向こう七五年間は問題ないとする専門家もいます。その違いは、様々な不確定要素の動きによって長期的な予測が変わるからです。破綻しそうになったら当然、税金を上げることになります。

日本では、平成二九年度の厚生労働省年金局の資料によると、国民年金の平均支給額は月に約五万六〇〇〇円、厚生年金は約一四万七〇〇〇円です。二〇一九年、アメリカの平均年金支給額は、月額一四七四ドル（約一六万七四九円）でした。当然、アメリカには、年金だけで生活しようと考えている人などほとんど存在しません。

年金とは、最低限度の生活費を賄《まかな》うもの。保険としての位置付けであり、政府はずっとそういい続けてきました。年金だけで生活しようと考えるのが、そもそもおかしいのです。しかし、野党は政府を責め続けました。

私は国会を見ていて、馬鹿な野党の主張に閉口《へいこう》しました。極め付きは立憲民主党の蓮舫《れんほう》議員の発言です。同年六月一〇日の参議院決算委員会で質問に立つと、冒頭、いつもの厳しい口調で以下のように語りました。

「総理、日本は、一生懸命働いて給料をもらって、勤め上げて退職金をもらって、年金をいただいて、それでも六五歳から三〇年生きると二〇〇〇万円ないと生活が行き詰まる、そんな国なんですか」

蓮舫氏は年金をまったく理解していない、あるいは知らないフリをしているのではないか、そう感じました。

こんな言い方をすると抵抗を感じる読者の方がいるかもしれませんが、幸福な人生を送りたければ、私たちはまず「現代の資本主義社会でいかにして自己資産を築いていくか」という重要課題をクリアする必要があると思います。つまり自由主義社会では、幸せな老後を送りたければ、自分で資産を築いておかなくてはなりません。自由には、思想信条だけではなく、経済的な自由もあるのです。

先述の報告書が問題視されたわけですが、しかし人生一〇〇年時代に向け、資産運用も含めて、国民生活をいかに充実させるか、その視点で報告書を作ることは間違っていません。ずばりいいましょう。年金は老後の面倒をすべて見る制度ではないのです。

では、老後に備えてどうするべきなのか。資産を増やす有効な手段として、まずは就職すると同時に、毎月収入の一〇％程度を貯蓄する。ただ、低金利下の現在は、利息はほとんど付きません。半年分の生活費を緊急資金として普通預金に残し、残りをミドルリスク・ミドルリターンの金融商品に投資するのです。

すると対象は、投資信託、公開株、不動産の三種類になりますが、公開株や不動産を直接購入できなくても、投資信託を通して投資することが可能です。

専門的な知識を持っていれば、自分で投資を行ってもいいのですが、老後の資金に利用するつもりであれば、通常アメリカでは、金融機関でＩＲＡ（個人退職勘定《かんじょう》）を開設します。普通のＩＲＡには税引き後の資金を入れますので、老後に引き出すとき、その時価が上がっていても、税金がかかりません。これは自分で運用するものです。

似たようなものとして、日本にＮＩＳＡという仕組みがありますが、まだ広く認知されていないようです。

二〇一八年には、アメリカの三三・四％の世帯がＩＲＡを所有していました。また、二〇一七年には、五四％の世帯が直接・間接を問わずＩＲＡを通して上場株を所有していました。そのため、一般の主婦までもが、株式市場の平均株価に強い関心を持っています。というのも、将来の自分の年金となるからです。そうしたこともありアメリカ人は、それほど年金の額に対して文句をいいません。

一方、二〇一九年の日本銀行調査統計局発表「資産循環の日米欧比較：家計の金融資産構成」によると、日本では「株式等」「投資信託」「債務証券」を合わせても一五・二％にしかなりません。すなわち、自分の意思でリスク資産に投資する国民が少ないのです。

日本人の年金は恵まれているとはいえますが、しかし自分の資産に対する責任感が欠如していると思います。日本人の方々も、ぜひ自分のお金をケアしてください。そうすれば、私が大好きな日本がもっと住みやすくなるような気がします。

## ❇アメリカでは定年を七〇歳に

ここまで述べてきたように、日本では年金を満足にもらえないことに不満をいう人がいます。ただ、日本で会社勤めをしていた人は、退職金をもらえます。これが大きい。一時金として一気にもらうか、年金のようなかたちにするか、あるいは一時金として一部をもらって残りを年金にするか、それを選ぶことができます。

ただ、日本には定年になっても働き続けたい人がたくさんいます。しかし、同じ会社に残ることができても、給料が極端に減額され、再雇用の就労に対しては退職金も支給されません。ベテランなのに給料が安くなるのは、私には理解できない理屈です。

おそらく、年功序列で毎年給料が上がっていくと人件費がかさむので、採算が合わないということでしょう。年齢による差別だと思います。基本的に一番能力が高い人材のはずなのですから。

また、定年退職して年金と退職金、そして貯蓄で安定した老後を送ることになったとしても、多くの日本人はまだまだ元気。働きたいと考える人も多いのではないでしょうか。ところが日本では、高齢者が働くと、なぜか年金が減額されてしまいます。だから働きたくても働かない高齢者が少なくありません。これほどおかしな制度はないでしょう。

二〇一九年七月に厚生労働省が発表したデータによれば、日本人の平均寿命は男性が八一・二五歳で世界第三位、女性が八七・三二歳で世界第二位の長寿国です。にもかかわらず、日本の社会自体が、高齢者に働いてもらう仕組みになっていない。健康の観点からも、働き続ければ認知症の予防にもなるともいわれているのですから。

　このように日本企業は、高齢者をすぐに辞めさせようとします。これは、重要な社会資本である人材を捨ててしまうような、愚かな経済的・社会的政策なのです。ただでさえ人手不足が深刻化しているのですから、高齢者の労働力を活用すべきです。

　ちなみにアメリカでは、現在、定年を七〇歳に引き上げる会社が急増しています。また現実問題として、完全にリタイアして老後を過ごすほど貯蓄がある人も少ない。多くの高齢者が働いているのが現状です。高齢者も様々な職業に就くことができる、それがアメリカです。この点は、日本も参考にすべきではないでしょうか。

　日本の年金制度が出来上がったのは約七〇年前のことです。当時の平均寿命は五〇歳台。だから厚生年金受給資格を五五歳からにしたのでしょう。それまでに多くの人が亡くなるという前提に基づいています。

　でも、現在は八〇代まで生きる時代。いや、自民党のホープ、小泉進次郎《こいずみしんじろう》議員は「人生一〇〇年時代」の生き方を模索しています。であるならば、年金だけを当てにする姿勢はとらないほうがいいでしょう。そして政府は、意欲のある高齢者が働ける社会を作るべきです。

　これらが実現すれば、日本はもっと効率的で寛容な社会になるはずです。

## ✻日米企業の報酬格差を知った驚き

日本は貧富の差が小さいのと同時に、企業の役員と社員の報酬の差もアメリカほど大きくありません。それは、日本では会社を「家族」のように考えたからです。結果、終身雇用が定着しました。そのため企業では社員が一丸となって働き、戦後瞬《また》く間に復興し、経済強国になったのです。

ただ、近年は国際競争の流れのなかでグローバルなシステムを導入する企業が増えており、一社に就職したら定年まで勤めるという人も激減しました。私が卒業した大学の就職センターでは、一生のあいだに職種自体すら三回は変わることもあるので、転職に備えて生涯、学習を続けなければならないと教えてくれました。

アメリカの企業では、勤務年数が長いからといって賃金が上がるわけではありません。実力で高賃金を獲得しなければならないのです。結果、ほかに条件の良い会社があったら、迷わず転職していきます。かつての大半の日本人のように、会社を家族のように、または抜け出せない「村社会」のようには捉えていません。日本もこの方向に進んでいると思います。

役員と社員の報酬の格差も拡大しています。二〇一九年四月、アメリカの調査会社エクイラーは、国内の主要企業のＣＥＯ（最高経営責任者）の平均報酬は、社員の平均年収の何倍になるのか、上位一〇〇社を対象とした給与格差の実態を調査しました。エクイラーの発表によれば、二〇一七年が二三五倍、それが二〇一八年には二五四倍に拡大していました。

ちなみに最も格差が大きかったのは、人材サービス会社マンパワーグループの二五〇八倍で、次いでEMS（電子機器の受託製造サービス）会社ジェイビルサーキットの二二三八倍、ストレージ製造会社ウエスタンデジタルの一七九五倍と続きます。

では、日本企業はどうでしょうか？　「東洋経済オンライン」は二〇一八年九月一七日に「社員と役員の年収格差が大きいトップ五〇〇社」という記事を配信しました。そして、〈従業員と役員の平均に一〇倍以上の格差がある会社は一三三社だった〉と発表しています。

最も格差が大きかったのはオンラインゲーム開発・配信会社のネクソンで、役員の平均報酬は社員の平均年収の約六〇倍、以下はソニーの約五四倍と続きます。格差は広がっているとはいっても、まだまだアメリカの足もとにも及ばないのです。

役員報酬の高騰は、アメリカで大きく取り沙汰《ざた》されている問題です。日本の状況こそ、社員が大きな不満を抱えることもなく働ける環境なのではないでしょうか。

## ❄カルロス・ゴーンの憂鬱

二〇一八年一一月一九日、ルノー・日産・三菱アライアンスの社長兼CEOを務めていたカルロス・ゴーン氏が金融商品取引法違反の容疑で逮捕されました。ゴーン氏は二〇一〇～一四年度の役員報酬について、約五〇億円少なく報告したことが明らかになった事件です。この件は内部告発によって発覚しました。

翌月には、二〇一五～一七年度までの三年間の役員報酬においても、やはり約四〇億円の過少記載を行っていたことが明らかになり、二度目の逮捕。要は脱税の容疑です。その後、特別背任の容疑も加わり、合計四度も逮捕されることになりました。

ちなみに特別背任は会社法九六〇条で規定された犯罪行為。条文によれば〈自己若しくは第三者の利益を図り又は株式会社に損害を加える目的で、その任務に背く行為をし、当該株式会社に財産上の損害を加えたとき〉に成立します。

告発の内容が事実であれば、そもそもゴーン氏はなぜ脱税をしたのでしょうか。実はゴーン氏は、フランスでは高額な報酬を受け取っていません。経済評論家の加谷珪一《かやけいいち》氏は「ニューズウィーク」のウェブ版で二〇一六年七月一二日に以下のように書いています。

〈二〇一一年にゴーン氏は、総額で一二七〇万ユーロ（当時のレートで一五億六〇〇〇万円）の報酬を受け取っていたが、その多くは日産からのものであった。（略）フランスはミッテラン政権において企業の国有化を進めるなど官僚主義的な風潮が強く、企業トップの報酬も米英などと比べると低く抑えられている〉

ゴーン氏はこの状況に不満を持っていたのでしょうか。

元日本経済新聞編集委員の大西康之《おおにしやすゆき》氏は二〇一八年一一月二〇日、「文春オンライン」の記事で日本のCEOの報酬の安さに言及、やはりゴーン氏が不満を抱えていたのではないかと分析しています。

記事によれば、グローバル企業へのコンサルティング業務を得意とするウイリス・タワーズワトソンが日米欧五ヵ国で売上高一兆円を超える企業の二〇一七年のCEOの年俸を調査したところ、トップはアメリカの一四億円、日本は一億五〇〇〇万円で最下位でした。

大西氏は以下のように書いています。

〈日本で暮らしている分には一億五〇〇〇万円でも十分に「お金持ち」だが、米欧でのそれはトップの報酬としては安すぎる。現在、ルノーの会長でもあるゴーン氏は、主にパリを拠点としており、今や日本にくるのは「二ヶ月に一度」（日産関係者）程度。日本水準の年俸で欧州セレブの生活水準を保とうとすれば、そこにギャップがあったのかもしれない〉

そこで日産からの報酬を受ける際に脱税することを思い立ったと臆測する人がいます。

とはいえ、ゴーン氏と日産従業員の報酬格差は二〇一・九倍で、役員報酬額は日本の企業では第五位（二〇一九年三月期：東京リサーチ調べ）、役員の報酬が少ないわけではなかった。二〇一八年一一月二〇日の「東洋経済オンライン」の記事によれば、〈九年平均の役員報酬と従業員との報酬格差は二七倍で、従業員平均給与は日産よりもトヨタやホンダといった他社のほうが高いケースもあった〉のです。

日本と同じく役員の報酬が低いフランスにいながら、アメリカのCEOの姿などを見ていると、自らの報酬に不満を感じてしまう。アメリカが特殊なのか、日本やフランスが特殊なのかは分かりません。ただ、アメリカ国民の大半が現在の状況に不満を感じているのも事実です。

その点、日本は多少の貧富の差はありながらも、みんなが大きな不満を感じることなく、経済を発展させてきました。無理にアメリカ型の給与体系を取り入れる必要などありません。

# 第12章　アメリカが失った公の精神があるから

## ✻福井県が幸福度一位になる背景

日本人は家族を大事にします。この点も、私が日本人を尊敬する大きな理由の一つです。まず、多くの日本人は先祖を尊崇しています。その証拠に、日本人はよくお墓参りをします。年に二度のお彼岸《ひがん》、そしてお盆や命日に先祖に挨拶に行く。これは本当に素晴らしいことだと思います。

ちなみに私たちアメリカ人も、少なくとも年に一度、お墓参りをします。それは、五月の最終月曜日です。この日は「メモリアル・デー」という祝日。メモリアル・デーとは、日本語でいうと「戦没将兵追悼《ついとう》記念日」です。

これは、その名の通り、もともとは軍人を追悼する日で、戦没者が眠るアーリントン国立墓地では大きなイベントが行われます。そして私たちアメリカ人は、国のために戦った戦没者に感謝するとともに、自分たちの先祖の墓に行って祈るのです。

日本人からは「アメリカ人のほうが家族を大切にしているのではないか」といわれることがたびたびあります。アメリカ人は残業をせず家に帰る、仕事よりも家族を優先する、という話があるからでしょうか。確かに日本人のほうが残業をするし、近年、若干減ったとはいえ、夜は飲み歩く人が多いかもしれません。それに比べると、アメリカ人は必ず夕食を自宅で摂ります。

夜の会食については、東京で働く外国人の経営者は、大きな不満を口にします。その奥様方も同様。私の場合、就職したときに妻と相談し、週二回まで仕事上の会食を許可してもらいました。

各国の全就業者における平均の年間実労働時間を調べた結果、ＯＥＣＤの最新の二〇一八年データによると、一位はメキシコの二一四八時間、三位が韓国の二〇〇五時間、アメリカは一一位で一七八六時間です。日本は二二位の一六八〇時間であり、際立った長さではありません。

しかし、働き方が問われます。リコージャパンの「働き方改革ラボ」のホームページを参考にすると、日本の短時間労働者の労働時間は平均で年間一〇九三時間に対し、フルタイムの一般労働者の労働時間は平均で年間二〇一八時間、かなりの差があることが分かります。

この一般労働者の平均年間労働時間は、ここ二〇年ほど変わることなく、二〇〇〇時間付近で推移しています。全就業者数における短時間労働者の割合は、二倍近くにまで増加したと報告されていますから、全就業者を対象とした労働時間の減少は、短時間労働者の増加によるところも大きいと考えられるのです。

しかも、一五～六四歳男性の平均労働時間を、休日も含めた一日あたりの時間で算出すると、二〇一四年のデータで、日本はＯＥＣＤ諸国のなかでトップの三七五分。全体平均の二五九分に比べ二時間近く長くなっています。

かたや、意外にも、先進諸国中トップクラスの長い労働時間を記録したアメリカ。時間や場所にとらわれない柔軟なフレキシブルワークや、在宅勤務などのリモートワークの導入を拡大させたことで、近年、業務とプライベートの区切りが曖昧《あいまい》になり、結果、労働時間が大幅に伸びたといわれています。

話を戻します。日本人が家族を大事にすると感じる大きな理由は、親子で一緒に暮らす家族が相当数いるからです。これは非常に素晴らしいことでしょう。もちろん、「サザエさん」のように三世帯が一つ屋根の下に住んでいる家族は理想的ですが、特に都会では激減しているのでしょう。

かつての日本の大家族制度は、非常に合理的でした。若い夫婦が仕事をしていても、祖父母が子供の面倒を見ることができました。また、祖父母が文化や知恵を子供に伝授してくれました。現在、社会問題になっている介護や孤独死についても、大家族で支え合って対処してきました。

こうした家族の絆《きずな》が日本にあればこそ、個人主義に走ることもなく、公共性や社会性が培われたのだと思います。そして、それこそが国の強さにつながったのでしょう。

ちなみにアメリカでは、親子がずっと一緒に住むことはありません。聖書の『創世記』には、アダムとイブの子供は、大きくなったら妻《めと》を娶り、親とは離れて住むように、と書いてあります。これが欧米人の主流を占める感覚かもしれません。

ゆえに、大人になってから親と一緒に住むことはないし、もちろん二世帯住宅もありません。むしろ、いい歳をして親と同居している人は、経済的に不遇であるか病気なのではないかと、否定的に見られます。

では、子供たちはどこに住むのか。答えは簡単で、仕事がある場所に住みます。そして、実家と同じ街で仕事を見つけたとしても、やはり実家を出て、スープの冷めない距離に住むことになります。

私はアメリカ人なので、こうしたアメリカの家族像がしっくりきます。私の息子たちも、みなバラバラ。ただし、日本に住む息子は、やはり私の家の近くに家を購入して住んでいます。

ちなみに一般財団法人日本総合研究所がまとめる「全四七都道府県幸福度ランキング」で三回連続一位になった福井県では、家が大きくて、一緒に住んでいる祖父母が孫たちの面倒を見ます。そのため女性も仕事ができるので、世帯収入もランキングの上位に位置しています。

働きたい女性が働ける環境、それが日本にはありました。そして、家族が同じ屋根の下で暮らす――こんな素朴な幸せを、日本人は、再確認すべきではないでしょうか。家族の集合体が社会であり、当然、家族を大切にする人たちは社会も大切にするのですから。

## ❊アメリカ人は正義感を失ったのか

ところで日本人から見ると、アメリカ人は正義感が強く、ヒーロー好きというイメージがあるでしょう。おそらく「スーパーマン」や「スパイダーマン」、あるいは近年の「アベンジャーズ」シリーズのような、アメリカのコミックや映画の影響なのでしょう。実は、基本的にこのようなマンガのヒーローを生んだのは、アメリカと日本だけです。面白い共通点だと思います。

確かに昔のアメリカ人は正義感が強かったかもしれません。困っている人がいるとき、見て見ぬ振りをする人は少なかった。そして、自分の父親のことをヒーローだと思っている子供が多かった。その延長線上で、アメリカ政府も強い正義感を持ち、世界の警察官として、大きな役割を担ってきました。ところが現在では、事情が変わっています。

昔から「沈没船ジョーク」という有名な話があります。様々な国籍の人々が乗った客船が沈没しかかっている。しかし、脱出ボートの数が足らず、船長は乗客に海に飛び込むよう説得しなくてはなりません。このとき各国の乗客に、なんといえば飛び込んでもらえるのか……。

たとえばドイツ人には「飛び込まなくてはなりません、それが規則だからです」という。ルールを重んじるドイツ人の特徴を揶揄《やゆ》しているのです。フランス人には「飛び込んではなりません」といえば良い。ひねくれ者のフランス人だから、逆のことをいうわけです。

では、日本人にはなんというか？「ほかの人はみんな飛び込みましたよ」という。個人より公を重んじる日本人を表しているようです。

そしてアメリカ人です。「いま飛び込めば、あなたはヒーローになれますよ」――ひと昔前のアメリカ人だったら、実際に納得して飛び込んだかもしれません。

しかし、昨今のアメリカはどうでしょうか。アメリカは凄まじい訴訟国家。「いま飛び込まないと訴えますよ」とでもいったほうが良いのかもしれません。

もちろん、いまでもアメリカ人のなかには正義感が強い人もいます。沖縄に駐留する海兵隊の兵士たちは、ヒーローそのものです。

二〇一九年一月のこと。キャンプ・コートニー所属の海兵隊少佐、ウィリアム・イースターー氏は、沖縄県北谷町《ちゃたんちょう》宮城海岸の沖合約三〇〇メートルで溺《おぼ》れていた女性の救助に協力、北谷町役場で消防本部副管理者の野国昌春《のぐにまさはる》町長から感謝状を受け取っています。この手の話はメディアではあまり報道されないものの、実は頻繁に起きています。まだまだ正義感の強いアメリカ人はいるのです。

しかし、いまのアメリカ社会では、困っている人を助けると感謝されるのではなく、逆に訴えられてしまうのではないかと考える傾向があります。結果、公の精神よりも個人の防衛が重んじられるようになりました。敢えて危険を冒したくないわけです。

たとえば、一九九二年に起きた「マクドナルド・コーヒー事件」は有名です。高齢の女性がドライブスルーでコーヒーを購入。砂糖とミルクを入れようとコーヒーの容器を膝のあいだに挟んで開けようとしたところ、誤ってコーヒーをこぼして火傷《やけど》を負いました。すると女性は、コーヒーの温度が高すぎるとマクドナルドを訴えた……結果、裁判所は賠償金として、マクドナルドが女性に六四万ドルを支払うよう命じました。

本来なら、考えられない賠償額ですが、このような事件が何度あってもマクドナルドがコーヒーの温度を下げなかったので、安全に対する考え方を変えないと判断され、この判決が下されました。弁護士として、私も納得しています。

その後も、アメリカでは、お化け屋敷で怖い思いをしたから訴えた人もいるし、美女が現れるバドライト（ビール）のＣＭを見てたくさん飲んだのに出てこないではないか、とビール会社を訴えた人もいます。これらは、さすがにおかしい。原告も、その弁護士も——。

### ＊「隣人を愛しなさい」の本当の意味

アメリカはキリスト教国家です。聖書には「隣人を愛しなさい」という言葉が出てきます。でもこれが、一般の人には分かりにくい。作家の曽野綾子《そのあやこ》さんとの対論をまとめた本のなかで、曽野さんは、次のように説明されました。少々長いですが、ぜひお読みください。

「そもそも隣人とは誰なのか。普通なら、文字通りお隣りの家の人であったり、たまたま電車の席で隣り合わせた人のことだと考えるでしょう。または空襲のとき、バケツリレーでお互いの家の火を消し合った、隣組のことを思い浮かべる人もいるかもしれません。そういう人々が隣人であれば、親切にしてあげるのも合点がいくわけです。ところが、聖書でいうところの隣人には、もっと広い意味が込められています。

『隣人とは誰か?』の問いに対し、イエスが答えた『善きサマリア人』のたとえ話にそのヒントがあります。

あるユダヤ人が追いはぎに襲われ、路上に置き去りにされて死にかけていました。そこを通りかかったユダヤ教の祭司、そして続いてレビ人（下層祭司）は、何もせず通り過ぎてしまいます。そして次にやってきたサマリア人だけが、そのユダヤ人を介抱します。当時サマリア人は、ユダヤ人から異端とみなされ軽蔑されていましたから、本来なら助けたくもない相手を助けたことになります。

つまり、憎むべき相手にさえ、愛を注ぐ。これが、イエスが述べられた『隣人を愛する』ことなんですね。ところが、たいていの人は、そんな憎らしい人や嫌な人を愛するなんて、とんでもないと思うわけです。職場の偉そうな上司も愛さなきゃいけないのか、意地悪な姑《しゅうとめ》にも優しくしなきゃいけないのかと。

でも、ここでいう愛は、そういう身近な愛ではありません。『アガペー』といって、感情を突き抜けた理性の愛。もっと徹底した慈悲であり善意のことなんです。だから相手を好きでも嫌いでもかまわない。嫌いな相手を無理に好きになれということでもありません。ただ理性で『善い』と思う行動をとればいいのです」

素晴らしい話だと思います。しかし、そんなキリスト教の影響力が、いま弱まっているといえるかもしれません。

十数年前には、シカゴでそれを象徴する事件が起きました。市内の裏路地で、ある女性が性的暴行を受けたのです。女性は悲鳴を上げて助けを求めました。その声は街ゆく人々の耳に届いたはず。しかし結局、誰も助けなかったのです。

この事件は直後に大きく報道され、私たちアメリカ人は大きなショックを受けました。トラブルや訴訟に巻き込まれることを恐れるあまり、人として一番大切なことまで失ってしまったのではないかと感じたからです。

この事件を受けて、一部の自治体では「善きサマリア人法」という法律や条例が制定されました。いくつかの州では、危機にある人を助けなければ、場合によっては逆に自分が罰せられる可能性があるのです。

いまこそアメリカ人も、正義の心、公の精神を取り戻してもらいたいと思います。このケースのような場合、むしろアメリカ人は蛮勇をふるうのではないかという日本人もいます。ただ、アメリカ人の社会や公に対する精神が失われつつあるのは確かです。

また、最近のハリウッドもリベラル思想に汚染されてしまいました。そのためアメリカを貶《おとし》める映画が多くなりました。それでもまだ、勧善懲悪《かんぜんちょうあく》の映画はあります。これはキリスト教の影響でしょう。

聖書では、善と悪の戦いを描いています。神様がいて悪魔がいる。だからキリスト教徒は正義の味方を尊敬するのです。その影響は残っています。ゆえに何か事が起きたときに対応する人、これを「ファースト・レスポンダー」といいますが、火事が起きたら出動する消防士や救助隊、事件が起きたら出動する警察官、戦争が起きたら出動する軍人らを、アメリカ人はとても尊敬しているのです。

であるならば、アメリカ人が再び公の精神を取り戻すことも可能だと、期待を込めて、私は日本から祈っています。

## ＊何でも反対の日米リベラル勢力

公の精神を失ったアメリカでは、実は議会も機能していません。共和党と民主党が互いを批判するだけの状態が続いています。

二〇一八年六月、最高裁判事のアンソニー・ケネディ氏が引退を表明すると、翌月、ドナルド・トランプ大統領は、後任にブレット・カバノー氏を指名。野党の民主党は猛反発しましたが、一〇月六日の連邦議会上院で一〇〇人の上院議員による投票が行われ、「賛成五〇票、反対四八票（一名棄権、一名欠席）」で承認されました。カバノー氏の就任により、最高裁判事は、九人中五人が保守派、四人がリベラル派となりました。

この投票前の連邦議会議事堂前では、カバノー氏の承認反対デモが開催され、参加者三〇二人が拘束されました。FOXニュースの報道によれば、反対運動をしていた人たちは、投資家のジョージ・ソロス氏からお金をもらっていたそうです。

ソロス氏は極左といっても過言ではない人物で、民主党を熱烈に支持しています。そしてトランプ大統領が大嫌い。だからといって、反社会的活動を支援すべきではありません。

以前は、最高裁判事を承認するのに上院議員六〇人の賛成が必要でした。六〇人となると、共和党の議員だけでなく、民主党の議員の一部も賛成しなければなりません。要は様々な思想の人が賛成する人物を判事にするための議会ルールだったわけです。だから、保守派もリベラル派も納得できる人物を指名していました。

では、なぜそのルールが変わったのか？　共和党は、二〇一七年、ニール・ゴーサッチ氏を指名しました。このゴーサッチ氏は、保守派の人物ではありません。にもかかわらず、賛成は五四票しか集まりませんでした。つまり民主党は人物を見るのではなく、共和党が指名した人物は絶対に反対だという姿勢を示したのです。

このあたりは、日本の野党にも似ているのではないでしょうか。立憲民主党や日本共産党は、自民党の政策すべてに反対します。彼らには国益など関係ないのでしょうか。これは日米の野党の共通点です。

結局、ゴーサッチ氏は最高裁判事に承認されました。民主党のやり方に対抗するために、共和党は六〇票ルールをやめて、過半数を取れば承認されるルールに変更したからです。民主党はまともに議論できる相手ではない——トランプ大統領以下、共和党の議員は、そう考えているのだと思います。

ただし、これは諸刃《もろは》の剣《つるぎ》です。もしこの先、共和党が野党に転落したら、不利な立場に追い込まれるのです。なぜなら六〇票ルールを捨てたことで、民主党が推薦するリベラル派の判事がどんどん任命されるから。それが分かっていても、共和党はルール変更に踏み切らざるを得ませんでした。

二〇一六年のトランプ大統領の誕生は、アメリカ国内のリベラル勢力、民主党の議員に、大きな衝撃を与えました。そうして彼らは、完全に理性を失いました。トランプ政権のやることはなんでもかんでも反対。ひょっとしたら、トランプ大統領に恐怖を感じているのかもしれません。

## ＊三権分立が機能しなくなったアメリカ

アメリカというと、大統領が強いリーダーシップで国を牽引しているイメージがあります。実際、行政府はすべて大統領に任されています。上院の承認が必要なのは、連邦裁判官、官僚、大使および一部の高官の指名だけで、ほかの全員に対する人事決定権を持っています。

加えて、大統領は法案の拒否権を発動することができます。さらに国軍の最高司令官であり、また恩赦を与えることができます。これらの権限は絶対です。

さらに、大統領令を発することができます。有名な大統領令としては、一八六三年一月一日の奴隷解放宣言（大統領令九五番）を挙げることができます。法的根拠はありませんでしたが、南北戦争という緊急事態だったので発令することができました。同じ理由で、大統領令九〇六六番によって、アメリカ本土在住の日系人が強制収容されました。

さて、トランプ大統領は経済や外交の面で、実は堅実な舵取《かじと》りをしてきました。しかし、問題は、立法府であるアメリカ議会。近年、その機能が完全に麻痺しています。

日本の国会に目を向けると、野党は森友・加計学園問題に代表されるように、たとえ冤罪《えんざい》であっても、総理や政府を攻撃する材料になると判断したら、延々と国会で取り上げて糾《きゅう》弾《だん》しています。予算委員会でも予算の議論をすることはなく、週刊誌の情報をもとに大臣のスキャンダルを追及することもしばしば……標的となった大臣が明確に否定したところで、野党は追及をやめません。

そして、メディアも野党と一緒になって政府や大臣を叩き、「疑惑は晴れない」などと訴える。こんな野党やメディアは不要、パフォーマンスは時間の無駄だと思ってしまいます。

しかし、まともな野党は必要不可欠です。民主主義は、議論に基づいているものです。まともな野党とは、政府案に対して実行可能な代替案を提案したり、積極的に、誠意をもって、審議に参加したりする政党です。

こうした議論を通して、国益を尊重した最も良い政策が決められます。そういう意味で、現在の日本の野党が機能していないということは、民主主義国家として危険だと思います。

それでも日本の国会では、ちゃんと内閣が法案を提出して国会で審議し、法律を成立させています。野党は文句ばかりいって対案を示さず、建設的な議論を行っていませんが、内閣や一部議員は公の精神を持ち、国をより良くするために法律を作っています。

特定秘密保護法や平和安全法制の成立は、その最たるもの。だから、アメリカよりもずっとまともだと思います。近い将来、スパイ防止法が成立したら、もう完璧です。

前述の通り政治とは、与党と野党が議論して、妥協点を見つけていくものです。しかし、カバノー最高裁判事任命の件を見れば分かるように、アメリカでは近年、与党も野党も一切妥協しません。その結果、議会が麻痺し、何も決めることができなくなっています。

こうして立法府がまともに機能しなくなったら、国家運営はひとえに、行政府がやるしかありません。そして、それが妥当かどうかは、司法府である裁判所が決める。すると、政治的な問題も司法府が決めるようになります。

一つ例を挙げましょう。同性の結婚を国が認めるのか認めないのか、アメリカでは長年、議論されています。本来なら立法府が決めるべき政治的な課題なのですが、まったく決められませんでした。

するとサンフランシスコ市が突然、同性結婚を認めました。そしてこのときカリフォルニア州議会はどうしたか？　無責任にも、州民投票に判断を委ねたのです。結果、違法と判断されました。しかし最終的に、最高裁判所は、同性結婚を禁じる州民投票や州法は連邦憲法違反だと主張する同性カップルの主張を認めました。禁止する法律は彼らのプライバシーを侵害するという論理でした。

このようにして、立法府は、自分たちの仕事を裁判所に委ねることになりました。議会が問題を裁判所に丸投げしているわけですから、弱くなるのも当然。三権分立のバランスがおかしくなります。

一方、だからこそ共和党も民主党も、自分たちの思想に合った人物を地方裁判官、高等裁判官、そして最高裁判事に起用したがります。

ここまで述べてきたように、日本の国会は、アメリカに比べたらまだマシなのです。ただ日本の国会でも、開会中は総理以下、大臣が各委員会に出席しなければなりません。そのため、総理や外務大臣が国会に縛られ、外交が後回しになる、などというデメリットが生じています。

ちなみにアメリカでは、大統領は立法府のメンバーではないので、議会に出席しません。その分、大統領としての仕事に没頭できるのです。せっかく安倍晋三という優秀な総理がいても、国会で愚かな野党議員たちに振り回されてばかりでは国家の損失。無責任な野党議員を選ばないよう、国民への啓発が必要です。

## ＊「戦争をする国になる詐欺」とは

以上のようにアメリカの問題点を述べてきましたが、それに比べたら日本人の多くは、まだまだ公の精神を持っていると思います。ワールドカップで会場のゴミを片付けた日本人サポーターの姿は、まさにその象徴です。

ただ、その一方で日本人は、領土、領海、国民の生命・財産といったものを守る意識が希薄です。これは先述のＷＧＩＰの影響が根強く残っている証拠でしょう。また、戦後の教育にも大きな問題があります。

かくいう私は、いわゆる平和主義を胡散臭《うさんくさ》く思っています。何かというと平和を訴える日本の左派系文化人や団体は、「戦争をする国になる詐欺《さぎ》」を続けています。

一九六〇年と七〇年の日米安全保障条約改定の際、反対派は「アメリカとともに戦争をする国になる」と反対しました。国際平和協力法（ＰＫＯ協力法）のときや周辺事態法（現・重要影響事態法）、あるいは自衛隊のイラク派遣や防衛庁を防衛省へ昇格させるとき、そして近年では特定秘密保護法や集団的自衛権を含む平和安全法制のときも、やはり反対派は「日本が戦争をする国になる」「アメリカの戦争に巻き込まれる」などと訴えてきたのです。

国会で平和安全法制を議論していた二〇一五年、「安保関連法に反対するママの会」なる団体が活動していたのを覚えているでしょうか。夏の炎天下、子連れで反対デモを行っていました。そのときは「あなたの子供が徴兵される」などと煽《あお》っていました。

同団体のホームページには、賛同者から寄せられたコメントが掲載されていました。コメントは以下のような内容のものばかりです。

〈アメリカの戦争に巻き込まれる法案に反対する〉

〈憲法第九条を大切に思っています。思想の違い価値観の違いなどお互い認めあい武力によらない解決方法を模索していく努力を尽くすことを願います〉

〈第二次大戦後七〇年、日本は押し付けられたとはいえ、「戦争放棄」を謳う理想の憲法と誇るべき憲法のもと、平和を守ってきました。自衛隊は国内外で数多くの命を救ってきました。素晴らしいことです〉

——多くの日本人が北朝鮮に拉致されたにもかかわらず、いまだに救出できていないのが日本という国家です。これで平和を守ってきたといえるのでしょうか。

アメリカでもフェミニスト運動は盛んです。ただ、この「ママの会」のような運動をしている女性団体はありません。「ママの会」のような運動は、アメリカでは売国行為に当たるからです。

このような団体は、「チコちゃん」よろしく、「ボーっと生きてんじゃねーよ！」と叱《しか》りたいくらいです。

「戦争をする国になる詐欺」を続ける人は、テレビや新聞しか情報源がない情報弱者なのでしょう。非常に困った人たちです。

「平和主義」は英語の「Pacifism（パシフィズム）」の誤訳で、正しくは「非戦争主義」または「不戦主義」のことです。これは、戦わないと宣言すれば平和が飛び込んでくると信じ込んでいる思想、国家の存続が危うくなるような思想だと思います。

というのも、では一体、誰が日本を守るのでしょうか？　国連では、日本が敵国指定を受けているので、国連軍が出動することはあり得ません。そもそも常設の国連軍が存在しないのです。では、日米安全保障条約でアメリカが日本を守ってくれるのでしょうか？　安易にそう信じている人が多いようです。

もし、中国が尖閣《せんかく》諸島を侵略したら、アメリカが日本の領土であるとして守るのかと、トランプ大統領が聞かれました。その質問に対して大統領は、「We stand behind you.」といいました。要は「後方支援をしてやるよ」ということです。だから、仮に尖閣をめぐって中国と衝突しても、アメリカが先頭に立って戦うわけではありません。

また、同じ時期にジェームズ・マティス国防長官が「We stand beside you.」といいました。これは「一緒に行動しましょう」という意味です。

ただ、誰も「We stand before you.」とはいっていない。もし日本のために戦うことがアメリカの国益に適《かな》っているのであれば戦う、そのための前提として、日本が戦う意思を見せなくてはならない——そういうことです。

実はアメリカにも不戦を訴えている人たちがいます。ただ、日本の自称・平和主義者とはまったく違います。戦争反対運動をしている勢力といえば、キリスト教プロテスタントの一派、キリスト友会（クエーカー）が代表的な存在です。しかし、そんな彼らでさえ徴兵には応じます。

ただし、アメリカでは信教の自由を保障しているため、彼らを戦地の最前線には送りません。負傷者ケアやロジスティックスなど、後方部隊でサポートをするのです。「不戦＝正義」を妄信する日本の左翼よりも、はるかに強い愛国心や防衛意識があるといえましょう。

戦後の日本には、ＧＨＱによる洗脳の後遺症が根強く残っていますが、そろそろ脱却し、日本人が誇るべき公の精神をもっともっと磨いていくべきだと思います。もちろん私も日本に住み続け、「援護射撃」をしようと思っていますが。

# 第13章　宗教のしがらみがないから

## ＊日本人には宗教心が根付いている

「日本人には無宗教の人が多い」という話をよく耳にします。宗教団体に属していないことを「無宗教」と呼ぶのであれば、確かにその通りかもしれません。しかし、日本人ほど日常生活に宗教的な要素を取り入れている民族はいないのではないでしょうか。

たとえば、日本人の多くは正月に神社に初詣《はつもうで》に行くし、富士山の山頂では、ご来光に向かって手を合わせます。また、食事の前には「いただきます」といって、生命を捧げてくれた動植物に感謝の意を表します。

それから結婚式は、大安の日に教会で愛を誓う人もいれば、神社で斎主の祝詞《のりと》を聞く人もいる。他方、葬儀は仏滅の日にお寺で行い、お坊さんがお経《きょう》を読みます。さらに彼岸《ひがん》やお盆になると、線香を持ってお墓参りに行くし、人に花束を贈るときは、供花として用いられる菊などを避けます。

以上のように、日本人が何気《なにげ》なくとっている行動の多くに、宗教的な要素が含まれているのです。

そして日本人の心のなかには、「この国には八百万《やおよろず》の神が住む」という考え方があるのです。

古代から日本では、稲作や漁業を通じ、人々が自然と密接な関わりを持ってきました。ただ、自然は人々に食物などの恵みを与えてくれますが、時には台風や日照りなどとして猛威を振るうこともあります。このような自然現象に直面した人々は、いつしかそうした事象の背後に、神の存在を感じるようになりました。

同時に、山や海、あるいは木、そして自然そのものにも神の存在を感じ、やがて、この世にあるすべての物に神が宿っているのだと考えました。それが八百万の神への信仰です。だから奈良県大和郡山市《やまとこおりやま》の西方寺《さいほうじ》では鉛筆を供養《くよう》しているし、「目のお薬師様」として知られる島根県出雲市《いずも》の一畑寺《いちばたじ》（一畑薬師）では眼鏡を供養しています。八百万の神が日本人の心に根付いているからこそ、役目を終えた鉛筆や眼鏡でさえ、感謝の気持ちを持って供養しているのだ、そう私は感じました。

毎年二月には、様々な神社で五穀豊穣《ごこくほうじょう》を祈る祈年祭も開催されています。もちろん、それでも不作になる年はある。しかし、神に感謝してお祈りする。これはキリスト教に通じるものがあります。私たちキリスト教徒も神に祈れば願いは叶《かな》うと信じているのですから。

宗教は人間の精神を支えるためのもの。であるならば、日本人が無宗教であるというのは正確ではないと思います。

## ❋キリスト教徒と日本人の共通点

人間を超越した力の存在を認めたり、あるいはそれを感じたりした経験がある人も多いのではないでしょうか。その存在とは、分かりやすくたとえると、映画「スター・ウォーズ」シリーズで描かれる「フォース」のようなもの。フォースとは、アナキン・スカイウォーカーら主要キャラクターの力の源となっているエネルギー体のことです。当然、これは架空のものですが、私たちが生きる現実世界にも、やはり目に見えない力があると思うのです。

たとえば日本人の多くは、悪いことをすればバチが当たるのではないかと恐れます。そして、幼少のころから親に「お天道様《てんとうさま》が見ているから悪いことはするな」と教えられます。また日本人は、茶柱が立つと「縁起《えんぎ》がいい」と喜び、ネガティブな発言を聞くと「縁起の悪いことをいうな」と怒ります。やはりフォースのような何かを感じ、日々の生活を送っているように思えます。

こうした思考もまた、キリスト教に通じるものがあります。私たちキリスト教徒は、人間の目に見えない何かがあると考えています。もちろん、それが何なのかは分かりませんが、キリスト教には聖霊の言い伝えがあり、この聖霊が私たちを良い選択に導き、守ってくれると信じているのです。

キリスト教徒と日本人のあいだには、ほかにも共通点があります。それは先祖を敬い、先祖のために祈ることです。

キリスト教は宗派によって考え方に細かい違いがあるものの、基本的に、「人は救われる」と考えています。ただ、人が死んだあと天国に行くには、条件があります。生前に洗礼を受け、常に悔い改めながら、すなわち懺悔《ざんげ》して生きていかなければ、天国には行けません。ところが、なかには懺悔をしないまま亡くなってしまう人もいる。すると、その人は地獄に落ちる、そう考えているのです。

ただ、私が信仰する末日聖徒イエス・キリスト教会の場合は違います。生前、バプテスマ（洗礼）を受ける機会がなかった人でも、代わりに生きている私たちが儀式を行えば救済できる、と考えるのです。そのため「死者のためのバプテスマ」を神殿で行っており、日本には、東京、福岡、札幌の三ヵ所にあります。

このために、私たちは系図を熱心に調べます。実際、私のギルバート家に関しては、西暦一四〇〇年以降の先祖の名前が、ほぼ明らかになっています。先祖のほとんどは必要な儀式を受けていないので、私たちは自分の先祖たちに代わって儀式を行います。それを霊界（死んでからの場所）にいる先祖が認めれば効果を発揮する、そう考えているのです。

こうした私たちの行いは、先祖を敬い、お墓や仏壇の前で手を合わせる日本人に近いのではないでしょうか。

　私がそれを感じたのは、来日して間もないころ。ある日本人の家を訪ねたときのことです。居間に通されると、そこで、生まれて初めて仏壇を見ました。最初はそれが何なのか、まったく分かりませんでしたが、先祖供養《くよう》のためのものだという説明を聞きました。また、居間の鴨居《かもい》には、先祖たちの遺影が飾ってありました。

　それらを見て、日本人は先祖を大事にするのだなあと実感するのと同時に、私は大きな共感を覚えたのです。

　このように先祖のために祈り、感謝し、人として良くあろうと努める日本人に、私は感銘を受けています。これもまた、私が日本に住み続ける大きな理由になっていることに間違いありません。

## ＊日本人から感じた「愛と赦し」

キリスト教徒と日本人の共通点について、もう一つ語りたいことがあります。

　私は宣教師として来日すると、福岡伝道部に配属されました。福岡伝道部の担当エリアは、中国地方から九州全域、そして沖縄でした。つまり広島と長崎という、原爆を投下された二つの街も私の担当だったのです。

そのため私は不安を覚えました。もし広島や長崎に行ったら、「原爆を落としたアメリカ人が何をしに来たのだ」と罵声《ばせい》を浴びたり、場合によっては殴られたりすることもあるのではないかと考えたからです。

ところが、私の不安は杞憂《きゆう》に終わりました。宣教師として滞在した二年間に何度も広島や長崎に行きましたが、日本人から一度たりとも原爆について責められることはありませんでした。私がアメリカ人であることを告げたときに、嫌な表情を浮かべる人さえいなかったのです。これは現在も同じです。

ただ、一度だけ原爆投下について質問されたことがあります。一九七五年に広島平和記念資料館を訪れ、館内の展示物を見ていたときに、たまたま居合わせた日本人女性から「How do you feel?（どう感じますか？）」と聞かれたのです。とはいっても、私を責めるような言い方ではなかった。純粋に、「アメリカ人の考えを知りたい」といった好奇心を持っているように感じました。

ちなみに、このあと私は心から反省することになりました。なぜなら、女性の質問に対して明確な回答ができなかったからです。それと同時に、自分は原爆投下について深く考えていなかったという事実を痛感しました。

このときばかりは、私には慈愛が足りない、これで本当のキリスト教徒といえるのか、と悔悟《かいご》の念に駆られました。

話を戻します。もし敵国から原爆を投下された過去があったとしたら、ずっと怒りを持っていても不思議ではありません。実際、歴史問題を外交カードにしている国が日本の周辺にあるわけですから。日本人のなかにも原爆投下は戦争犯罪だったと考えている人もいるでしょう。

だからこそ、広島や長崎で優しく遇されるたびに、日本人の寛大な心に感銘を受けます。また、「過去には嫌なこともあったけれど、これからは仲良くしていきましょう」という、日本人の前向きな姿勢も感じられます。

そしてこれこそが、キリスト教徒と日本人の大きな共通点なのではないでしょうか。キリスト教には「敵を愛しなさい」という教えがあります。また、イエス・キリストは人間を罪から救うために磔《はりつけ》になったのです。つまり「愛と赦《ゆる》し」は、私たちキリスト教徒にとって重要なテーマです。

罪を憎んで人を憎まず――そんな共通点があるからこそ、キリスト教徒にとって日本は、とても住みやすい国なのです。

## ❋宗教的な表現が許されない国とは

そんな日本の街を歩いていると、若者が十字架のネックレスをファッションとして身に着けている姿を見かけます。ところが実は、フランスでは、このような宗教の印を公立学校で身に着けてはいけません。イスラム教の女性が頭に巻くヘジャブも同じです。

また近年のアメリカでは、キリスト教を象徴するものも許されなくなりつつあるようです。詳細は後述しますが、現在のアメリカではキリスト教徒以外の人たちに気を遣うあまり、逆にキリスト教徒が迫害されるといった傾向があります。キリスト教国家であるにもかかわらず、です。

この点については、一年の大半を日本で過ごしている私よりも、アメリカにいるテキサス親父のほうが詳しいでしょう。彼はこの件について、自身のユーチューブチャンネルで、以下のように語っています。

「（ある日本映画で）俳優が十字架のネックレスをしているんだ。（略）映画自体はキリスト教信仰とはまったく関係なくて、記憶する限りキリスト教信仰に言及するような場面もないんだ」（註：句読点は著者が補足）

そして十字架を俳優の好みで着けているのかもしれないと言及したうえで、「プロデューサーもディレクターも十字架を外すように指示してないんだ」といっています。

おそらく、この十字架は、俳優ではなくスタイリストが用意したものだと思います。単なるアクセサリーだと認識したのでしょう。しかし、十字架が物語になんの関係もない場合、キリスト教徒は、十字架の意味を理解せずに使っていることを不愉快に感じることもあります。加えて、キリスト教徒以外の人たちも、同様に快く思わないでしょう。

そのため近年、アメリカの映画やドラマで、俳優が十字架のネックレスを着ける場面は見られません。

では、なぜ日本では十字架のネックレスが許されているのか。テキサス親父は以下のように説明しています。

「日本では宗教を恐れてないんだ。（略）（アメリカで）人気のある娯楽はハリウッドの『変態俳優』たちで、奴らは宗教を恐れる、特にキリスト教信仰に関してな。だからキリスト教信仰を助長したり、敬意を払うような見せ方は、ここアメリカでは許されないんだぜ」（註：句読点は著者が補足）

言い換えるなら、やはり日本は宗教に寛容だということでしょう。宗教的縛りがない日本には表現の自由もある、ともいえます。

これは外交でも有利に働きます。宗教に関係なく他国と付き合うことができるからです。宗教への寛容性は、ＩＳ（イスラム国）や宗教原理主義組織が跋扈《ばっこ》する現代の世界において、日本の大きな武器になっていくはずです。

実際、日本で外国人による宗教テロは起こっていません。一九九五年のオウム真理教による地下鉄サリン事件は、日本人によるテロでした。

### ❇日本が世界をリードしていく必然

世界を見渡せば、西洋諸国と中東諸国がいがみ合っています。一方はキリスト教国家やユダヤ教国家で、他方はイスラム教国家。つまり西洋諸国と中東諸国のあいだには、宗教という対立点があるのです。そして、人間の本質にまで関わる宗教については互いに譲れないので、交渉すら成り立たないこともあります。

ここで日本の出番です。日本の外交には宗教的なしがらみは一切ありません。そんな日本は、西洋諸国と中東諸国の仲介役として活躍できるはず。そうすれば、日本の国際的な地位はますます向上するでしょう。

ちなみに私はこの件を数十年前から訴えています。仲介役を全《まっと》うできる国は、世界広しといえども、日本くらいしかない。実際、二〇一九年六月に安倍晋三総理がイランを訪問したときには、イランの新聞が「アメリカは敵、日本は友達」と書きました。

とはいえ、これまでの日本には、そうした外交を実行できる人材がいなかった。日本は中《なか》曽《そ》根康弘《ねやすひろ》政権以降、小泉純一郎《こいずみじゅんいちろう》氏を除けば、総理大臣が数ヵ月から二年程度で辞任する時代が続きました。これでは世界の信用は勝ち取れません。また、総理の多くは外交音痴といえる人ばかりだったのです。

しかし、やっと人材が現れた。それが安倍晋三総理でした。外交的な手腕もさることながら、二〇一二年一二月以降、長きにわたり政権を安定的に運営してきました。当然、トランプ大統領を筆頭に、世界の首脳たちからも大きな信頼が寄せられています。いまこそ日本が外交的な仲介役に名乗りを上げる時期だといえましょう。

二〇一九年六月の安倍総理のイラン訪問。このときトランプ大統領が「ぜひイランに行ってもらいたい」といったことが明らかになっています。アメリカとイランは戦争になる直前でした。そのタイミングで安倍総理にメッセージを託した。日本が大国間の仲介役を果たすなどということが、これまでにあったでしょうか。

私が居心地のよさを感じる宗教的な縛りのない日本——そのしがらみのなさと文化力が相まって、これからの世界をリードしていくことになるでしょう。その第一歩が、安倍総理のイラン訪問だったのです。

## ❇ノーベル経済学賞受賞者の金言

いま世界を見渡せば、ユダヤ教とイスラム教のあいだにはパレスチナ問題があります。また、イスラム過激派組織による欧米諸国へのテロなど、キリスト教とイスラム教のあいだにも多くの問題があります。さらに、イスラム教の宗派同士が睨《にら》み合っています。なぜこのような宗教間の争いがあるのか、宗教に寛容な日本人は理解できないのではないでしょうか。ユダヤ教、キリスト教、イスラム教に共通しているのは、一つの神を崇《あが》める一神教であるという点。そしてキリスト教とイスラム教は、ユダヤ教を母体としています。ということは、これらの宗教は家族のような関係にあるといえるでしょう。

　前川製作所顧問の前川正雄《まえかわまさお》氏は、月刊誌「Ｖｏｉｃｅ」（ＰＨＰ研究所）二〇一八年三月号で一橋大学名誉教授の野中郁次郎《のなかいくじろう》氏と対談し、以下のように語っています。

〈一神教の捉え方では、どうしても個が強調される社会になる。そこでは協調関係ではなく、強いものが生き残る弱肉強食的な世界観になるのですね〉

　この一神教の考え方による「弱肉強食的な世界観」は、ビジネスだけではなく、外交にも表れているのではないでしょうか。だからこそ、かつてはキリスト教国家による植民地政策が行われたのだと思います。

　一方、八百万の神の日本では、個ではなく和を重視します。前川氏は以下のように語っています。

〈日本だけはそういう形になっておらず調和を大事にしてきた。そのあたりが縄文の時代か

ら連綿と続いている日本の特殊な文化的な面、共同体的特性といえるもので、それが歴史的につながりをもって維持されていた〉

その通りだと思います。私は、これは日本の外交にも通じるものがあると感じています。対する野中氏はノーベル経済学賞を受賞したエドムンド・フェルプス氏の言葉を借りて、以下のように話しています。

〈歴史的に見て草の根のイノベーションが普及したときに文明は栄えるのであり、ごく少数の天才がイノベーションを担ったから文明が起こるのではない〉

草の根とは、まさに大衆。大衆が手を取り合って力を発揮したときに、イノベーションが起きるといっている。まさに日本社会そのものです。

このように、和を重んじてきた日本だからこそ、キリスト教徒もイスラム教徒も、あるいは仏教徒も無神論者も、仲良く共存できるのではないでしょうか。

## ❇仏教を哲学と捉えるアメリカ人

さて近年、アメリカでは、キリスト教から仏教に改宗する人が増加しています。俳優のリチャード・ギア氏やブラッド・ピット氏、あるいはプロゴルファーのタイガー・ウッズ氏らが仏教徒であることは、アメリカ国内では有名です。

日系アメリカ人三世の仏教学者・ケネス田中《たなか》氏の論文「アメリカに浸透する仏教‥その現状と意義」によれば、〈仏教徒の人数は、アメリカの人口の一〜一・三パーセントを占めて三五〇万人と、合衆国で三番目に大きな宗教となり、一九六〇年以来、一七倍も増加している〉のだそうです。

また、〈三五〇万人の仏教徒以外にも、仏教徒であるとは自称しないものの、仏教、特にその瞑想《めいそう》に大いに興味を持っている人々もいる〉とのこと。加えて田中氏は、宗教やスピリチュアリティを考えるうえで仏教から影響を受けたと考える人も含めると、その数は三〇〇〇万人を超えるのではないか、と推測しています。

なぜキリスト教国家のアメリカで仏教徒が増加しているのでしょうか。私はスピリチュアリティ、すなわち精神性に、その理由があるのではないかと思います。

仏教では、ほかの宗教とは違い、人生のあり方を説きます。仏教の基本的理念を示す三法《さんぼう》印《いん》は、涅槃寂静《ねはんじゃくじょう》（悟りの世界が安らぎの境地である）、諸行無常《しょぎょうむじょう》（この世のものは絶えず変化して永遠ではない）、諸法無我（この世のものはすべてつながっており、我は存在しない）の三つです。まさに人生や世の中のあり方を説いているわけです。

言い換えるなら、仏教は哲学であるともいえるでしょう。であるならば、キリスト教徒のアメリカ人が仏教に関心を寄せても不思議ではありません。

たとえばフェイスブックの共同創業者でCEOのマーク・ザッカーバーグ氏は、妻プリシラ・チャン氏の影響で、仏教に興味を持ったといいます。そして二〇一五年には、中国の西《せい》安《あん》市郊外にある大雁塔《だいがんとう》を訪れています。大雁塔は文徳《ぶんとく》皇后を弔《とむら》う慈恩寺の境内に立つ塔で、三蔵《さんぞう》法師がインドから持ち帰った仏典や仏像を保管するために建てられました。

このときザッカーバーグ氏は、フェイスブック上で、大雁塔にある仏像の前でひざまずく写真を掲載し、以下のコメントを寄せました。

〈仏教は素晴らしい宗教であり、また哲学でもある。私は少しずつ仏教について学んでいるところだ。この宗教についてもっと深く理解できるように学び続けたい〉

仏教に改宗した多くのアメリカ人は、ザッカーバーグ氏のように、仏教を哲学だと捉えているのだと思います。そして仏教徒が多い日本に対しても、哲学的なイメージを抱いています。

震災などのような苦難に直面してもくじけず、散《ち》り際《ぎわ》が綺麗なサクラを愛し、和を大切にする……たとえ無意識であっても、多くの日本人は、人生のなかで三法印を体現しているのです。

そんな日本人の哲学に、ザッカーバーグ氏は、心酔しているのかもしれません。そして、実は私もその一人なのです。

もう一つ付け加えておくと、日本人が震災の苦難に立ち向かえる理由は、神道《しんとう》の影響もあるでしょう。昔の日本人は、自然現象に対して神の存在を感じました。この自然崇拝は、災害に抗《あらが》うのではなく、それを受け入れて逞《たくま》しく生きる、そんな強い心を日本人に与えているのではないでしょうか。

# 第14章　バラエティに富む安心の住環境があるから

## ＊高層住宅からポツンと一軒家まで

アメリカといえば何もかもが大きい、そんなイメージがあるのではないでしょうか。確かに料理も自動車もとにかくビッグサイズ。住宅も、日本と比べたら、かなり広いです。来日して、初めて四畳半の部屋を見たときは、あまりの狭さに物置部屋かと思ったほどでした。

とはいえ、日本の住宅も悪くありません。一戸あたりの面積も、押し入れや収納を加えれば、ヨーロッパの住宅と比べても遜色《そんしょく》がないのだそうです。

加えて日本では、よほどの田舎でない限り、どんな街にも一軒家、マンション、アパートが揃っています。ちょっとした地方都市にも、近年は高層マンションが建つようになりました。

また、昨今、ネットカフェ難民が社会問題になっていますが、逆にいえば、一泊一〇〇〇円ちょっとの場所で暮らすこともできるのです。大都会の東京でも大阪でも、一日一〇〇〇円ちょっとの宿泊費と食事代さえあれば生きていける……考えてみれば、これもまた凄いことです。

また日本では、田舎暮らしをする若者が増えています。二〇一八年に国土交通省が発表したデータによると、三大都市圏に住む若者の四人に一人が地方移住に関心があるといいます。実際に、長野、静岡、そして沖縄などが若者に人気があるのだそうです。

彼らの多くは現地で土地を借りて、農作物を育てて暮らします。なかにはソーラーパネルで最低限の電気を蓄え、薪《まき》で焚《た》いた風呂に入るなど、本格的な自給自足を実践している人たちもいます。

また、キャンピングカーを買って全国を旅しながら生活している人もいます。以前はアメリカにも、キャンピングカーで生活する人がたくさんいました。しかし、近年は治安の悪化などを理由に、契約車以外の車両を止められないキャンプ地も増加しました。というのも、場所によっては車中泊は非常に危険で、窓を割られて催涙ガスを撒《ま》かれ、金目の物を奪われる、そんな事件が多発しているからです。

また、公共のスペースに夜通し車を止めてはいけない州もあります。ゆえに、以前ほど自由に旅ができなくなってしまいました。

その点、日本なら、高速道路のサービスエリアや道の駅、あるいはキャンプ場など、車中泊ができる場所がたくさんあります。

自分さえその気になれば、都会で安く暮らすことも、田舎で自給自足をすることも可能、それが日本という国。この点だけでも、私は日本が真に自由な国だと思いますし、自由が好きなアメリカ人好みの風土だと感じます。

## ＊靴を脱いで寛ぐことに慣れたら

日本で生活するうちに、家は大きければ良いわけではない、居心地が大切なのだ、そう考えるようになりました。こう感じたきっかけは、靴を脱ぐことに慣れたときです。

初めて来日して福岡で生活を始めたばかりのころに、まず違和感を覚えたのが、靴を脱ぐ習慣です。帰宅しても、人の家に行っても、いちいち玄関で靴を脱がなくてはなりません。最初は本当に面倒臭くて仕方ありませんでした。

また、私が初来日した一九七一年の冬は、とにかく寒かった。当時の日本では床暖房はもちろんエアコンも普及しておらず、みな石油ストーブを使っていました。

ただ、ストーブを点けてもなかなか部屋が暖まりません。朝起きたときと帰宅したときは、地獄のように感じました。

なぜなら、アメリカの住宅は通常、セントラルヒーティングを完備しており、地下室でさえ冬でもTシャツで過ごせるほどに暖かいからです。

……それにもかかわらず、靴を脱ぐ。床がキンキンに冷えているのに靴を脱いで過ごすのです。

しかし、いまでは家で靴を脱ぐことに何の違和感もありません。靴を履いているほうが嫌なくらいです。

何より家が汚れないのが素晴らしい。また、和室で横になってゴロゴロしながら寛《くつろ》ぐことができるのも、玄関で靴を脱いでいるからです。

私のスイスの知人など、地元の店で二畳分の畳と日本の布団を購入し、それを愛用しています。彼によれば、ふかふかのベッドよりも、適度に硬い布団のほうが寝心地がよいのだとか。

ちなみにスイスのジュネーブには「Futon」という寝具屋があるそうです。店内には日本製の布団や枕はもちろん、和風の照明や障子風《しょうじふう》の衝立《ついたて》なども売っており、現地の日本びいきの人たちのあいだで大人気なのだそうです。

ところで数年前、アメリカ人の父親と日本生まれの韓国人の母親を持ち、日本で活躍するファッションモデルのある写真が話題になりました。その写真とは、靴を履いたまま畳の上に立って彼女がポーズをとったもの。インターネットで拡散されると、日本人ネットユーザーたちは激怒しました。

おそらくこのモデルに悪気はなかったのだと思います。ただ、やはり和室や畳は日本人にとって特別なものなのでしょう。土足で上がられては、神聖なものを汚されたような気がしたのだと思います。そして、怒った日本人の気持ちは、いまでは私にもよく分かります。

## ✻世界の人が欲しがる炬燵

それから和室でもう一つ。和室といえば、やはり炬燵《こたつ》です。日本では近年、エアコンや電気ファンヒーターが普及しました。しかし、日本には炬燵があるではないですか。欧米のように部屋全体を暖めなくても、炬燵を一つ設置すれば、それはもう暖かくて快適。テレビを見ながらミカンを頬張《ほおば》れば、とても幸せな気分になりますし、地球環境にも優しい。

ちなみに日本で生活して炬燵にハマった外国人は多く、海外でも日本から取り寄せて使っている人がいるほど。着実に炬燵は欧米に浸透しているようです。実際、アメリカ版のアマゾンで「Kotatsu」と検索すると、たくさんの商品がヒットするし、ごっそりとレビューが付いています。

また、私が日本家屋で好きなものは、縁側《えんがわ》です。冬は襖《ふすま》や障子《しょうじ》を開ければ太陽の熱を家のなかに取り入れることができ、夏は灼熱《しゃくねつ》の太陽光と居間や寝室との緩衝《かんしょう》地帯になってくれます。

福岡で最初に住んだ家には縁側がありました。冬でも暖かく、いつも縁側で本を読んだりしたものです。そうそう、昼寝の際にもお世話になりました。そして、夜になると寒くなるので炬燵へと移動。縁側と炬燵を行ったり来たりしていました。

こうした日本家屋の特長は、密閉度が低いことでしょう。風通しが良いので、木造でも家が長持ちするし、カビも生えません。

ところでアメリカの金持ちの友人が、最近、鎌倉に広い土地を購入しました。日本中の古民家を見て回り、一番気に入ったものを購入し、解体して鎌倉に再建している最中です。フェイスブックでその過程を見ていると、とても羨ましくなります。

ちなみにアメリカでも一軒家の場合は木造が主流です。寒冷地では密閉度が高いけれども、湿気が少ない暖かい地域では比較的オープンな造りの家が多い。私はユタ州の自宅の庭に、古民家は無理ですが、木造の茶室を置くことを計画しています。

## ＊水道水を飲める国は世界で九ヵ国

そんな日本では、水道水を、そのまま飲めます。煮沸《しゃふつ》せずに、蛇口《じゃぐち》から直接、飲むことが可能です。また、田舎に行けば下手なミネラルウォーターよりも美味しい水道水が飲めるのだから、これは凄いと思います。

日本人だったら誰だって、学校の休み時間や部活動のあと、水道の蛇口に口を近づけて、ごくごくと水道水を飲んだ経験があるのではないでしょうか。

世界で初めて水道が整備されたのは二〇〇〇年以上前のことです。古代ローマでは、水不足を解消することを目的に、水源地から水を運ぶための水道橋も造られました。

一方、日本では、五〇〇年以上前の戦国時代に小田原《おだわら》の城下に引かれた小田原用水（早川上水）が最初の水道だといわれています。

では、現在のような水道が出来上がったのはいつなのか。水道専門のサービス会社ジャパンウォーターによれば、一八八七（明治二〇）年、横浜に初めて近代的な水道が完成したということです。

その後、二回の世界大戦によって整備は停滞するものの、終戦から一三年後となる一九五八年の水道の普及率は約四一％。その後、高度経済成長期に一気に拡張し、二〇一一年のデータでは、普及率は九七・五％、給水人口は約一億二四六二万人に上るのだそうです。

つまり、日本に住むほぼすべての人に水道水が届いているということです。また、水質の良さや漏水率の低さは主要先進国のなかで一、二を争うといいます。

ちなみに国土交通省の発表によれば、水道水をそのまま飲める国は、世界でもたった九ヵ国だけ。なかには水道水でうがいすらできない国もあるのです。また同省のデータによると、アメリカの水道水は「そのまま飲めない」とのこと……ただ私は、ユタ州で水道水をガブ飲みしていましたが。

そんな私の従兄弟は、宣教師として台湾に派遣されました。二年間の役目を終えてアメリカに帰国する前に、私に会うため日本に立ち寄りました。そうして地下鉄のある駅で二人、電車を待っていたときのことです。私が駅のホームにあった給水機の水を飲んだところ、従兄弟はびっくり仰天《ぎょうてん》、こう尋ねてきました。

「これは水道の水でしょう？　飲んでも大丈夫なの？」

聞けば台湾では当時、水道水は飲めなかったといいます。「日本は凄いな」と、文字通り目をまん丸にして、感心していました。

このように安心して水道水を飲める日本でも、一九九〇年代からコンビニやスーパーでミネラルウォーターを買う人が増え、二〇〇〇年代になると飲み水を買うのは当たり前になりました。水道水を飲めるにもかかわらずミネラルウォーターを買い求める……私にはもったいないような気がします。

日本は水資源にも恵まれています。水はどの国にとっても貴重であり、中国などでは水不足が深刻になり、共産党政府も頭を悩ませています。

水源地がふんだんにあり、自宅の水道からも飲み水が出る。おまけにお店でミネラルウォーターも買える。国民の大半が水に困ることがない。そんな環境が整っているのも、日本が魅力的な国である一つの要素です。

ちなみに、先日、四国で講演をした際、楽屋にあったミネラルウォーターの採水地を確認したら……東京都文京区でした。四国まで行って、選《よ》りに選って東京の水を飲まなければならないのか、と考えさせられました。

## ❄世界のトイレは「危険地帯」

さて、世界中の人たちから驚きの目で見られているもの、それが日本の温水洗浄便座、いわゆるウォシュレットでしょう。これも住環境を形成する重要な要素。日本のトイレは綺麗なだけではなく、最先端の技術や心配りが詰め込まれています。外国人の多くは、それを体験し、感動すら覚えるのです。

第一に、日本のトイレは無料です。駅でも公園でもショッピングモールでもコンビニでも……どこでもトイレは無料、しかも清潔。世界を見渡せば有料トイレが主流です。

たとえばイギリスの公衆トイレ。その大半が有料で、入り口に設置された機械に二〇～五〇ペンス（約二八～七〇円）を入れなければなりません。すると、猛烈な便意に襲われたとき、トイレでコインがなかったら最悪です。悲惨な結末を迎えることになるでしょう。

一時期、東京の品川駅の新幹線から山手線に通じるコンコースに、有料トイレがありました。しかし人気がなかったのでしょうか、割合早く無料になりました。

ちなみに海外のトイレが有料だからといって、決して綺麗なわけではありません。当然、外国人は、日本のトイレに感動することになります。

三〇年くらい前に「24時間テレビ『愛は地球を救う』」(日本テレビ系列)の取材でニューヨークに行きました。そして、当時、ロックフェラー・センターのなかにあった日本テレビのニューヨーク支局を訪れた際、トイレに行きたいといったら鍵を渡されました。オフィスのなかのトイレでさえ、鍵がないと入れないのです。なぜか？　トイレのなかにおける性犯罪、あるいはドラッグの使用を恐れているのです。

ちなみに高速道路のサービスエリアでは、ドアが付いていないトイレを見かけます。そうでもしない限り、犯罪を防げないということなのでしょうか。まさにトイレは「危険地帯」なのです。

## ❋ウォシュレットへのアメリカ人の大誤解

温水洗浄便座は外国人を虜《とりこ》にします。近年では世界的に知られるようになり、日本で買って帰る外国人もいるほどです。最近のトイレには、オート脱臭機能すら付いています。また、センサーで自動的に水が流れるトイレも。

映画「テルマエ・ロマエ」で阿部《あべ》寛《ひろし》さんが演じる古代ローマ人が現代日本にタイムスリ

ップし、初めて体験する温水洗浄便座に感動して涙する、とても印象的なシーンがありました。さすがに泣く人はいないと思いますが、多くの外国人が日本のトイレに感動していることは間違いありません。

かくいう私も驚いたのが、用を足すときにボタンを押すと音が鳴る装置。温水洗浄便座ほど普及していませんが、それでも最近はよく見かけます。周りを気にせずに用を足せるため、特に女性は嬉しいはずです。

また日本のトイレには、機能だけでなく、おもてなしの心も詰まっています。たとえば便座カバー。便座は太腿が直接触れる場所。そこには紙製の使い捨て便座カバーを敷くことができます。カバーの代わりに消毒用のアルコールを置いてあるトイレもあります。また、おむつ交換用のベビーシートを併設しているトイレも多く、子供連れの人にとっては有り難いのではないでしょうか。

世界では、トイレは汚いところというのが一般的な認識でしょう。好き好んで行く場所ではないかもしれません。しかし日本の場合、そこはリラックス空間でもある。私もアメリカに帰国中、汚いトイレに遭遇するたびに、日本のトイレが恋しくなります。

実際、一九八〇年代から温水洗浄便座が普及するようになると、早速、私も日本の家に設置しました。そして、いまでは温水洗浄便座なしの生活は考えられません。

そのため、二〇年前にユタ州に家を建てたときにも温水洗浄便座を設置しようと思い、水道店に相談しました。「お尻を水で洗える便器を設置したい」と。すると水道店のスタッフは、「そんなものは聞いたことがない」と一言……ほかの水道店にも聞いてくれたそうですが、当時は誰も知りませんでした。

その後、探しに探し、やっと日本から輸入した温水洗浄便座を見つけることができました。が、いまだにアメリカでは普及していません。一部のセレブなどが使っているだけでしょう。

先年、私の妻は膝に人工関節を入れたので、トイレに手すりを付けようと思いました。しかし、便座をあと五センチ高いものにすれば手すりなしでも立てるといわれ、やはりTOTOの便器を選びました。水道店の話によれば、節水型やこのような介護用のものも含め、TOTOの市場占有率が圧倒的に高いそうです。

ところがアメリカの便器メーカーは、温水洗浄便座を、なぜかまったく開発していません……というのも、どうやらアメリカ人は、ウォシュレットの水が汚いのではないかと考えているようなのです。

実際、私の家に遊びにきた友人に温水洗浄便座の使い方を教えても、使う人は滅多《めった》にいません。温水洗浄便座好きなマドンナのファンも含めて。

# 第15章　外国人にもチャンスをくれる国だから

## ✻ジャパニーズ・ドリームの構造

人種の坩堝《るつぼ》であるアメリカには、「アメリカン・ドリーム」を追いかけて、多くの外国人が移住してきました。実際に巨万の富を得た人もいます。

しかし近年、その日本版ともいえる「ジャパニーズ・ドリーム」を追いかけて来日する外国人が増加しています。

現在の日本は超高齢社会。そのため人材不足も叫ばれており、外国人にも大きなチャンスが転がっているのです。

経済産業省近畿経済産業局の二〇一九年の資料によれば、なかでも関西における外国人起業家が増加しています。たとえば関西における「経営・管理」（外国人が企業の経営を行う際に取得する在留資格）の資格保有者は二〇一五年は二〇二一人でしたが、二年後の二〇一七年には三〇四六人にまで増加しています。

ちなみにその国籍を見ると中国人が最も多く、次いで韓国、そしてネパール、パキスタン、スリランカと続きます。アメリカは七番目に多いようです。

同資料では「経営・管理」の在留資格保有者が増加した要因を調査した結果、以下のように結論付けています。

〈飲食、宿泊、免税店など訪日外国人観光客向けビジネスのほか、日本の伝統工芸品や雑貨等を海外向けにインターネット経由で販売するEC関連ビジネスが増えているとの声が聞かれた〉

ただ、理由はそれだけではありません。やはり日本は治安が良く、いってみれば後顧《こうこ》の憂《うれ》いなく仕事に全力を注げます。また、その文化やそこに住む人に魅了されているからこそ、日本を選んでいるのでしょう。

先の調査では「経営・管理」の在留資格保有者に「外国人起業家が関西で起業した理由」をリサーチしています。その理由の一つは以下の通りです。

〈企業ヒアリングの結果、留学や観光をきっかけに伝統文化や豊かな自然など、関西の魅力に惹《ひ》かれて起業したケースが多く見受けられた〉

これは関西に限らず、ほかのエリアで起業した外国人すべてに通じることだと思います。かくいう私もまさにその一人。キリスト教の宣教師時代に福岡で日本の虜《とりこ》になり、その後、法律事務所に就職して日本で働くことになりました。

当時の私はジャパニーズ・ドリームなどという大それたことを考えていたわけではありません。大好きな日本で暮らしたかっただけです。ただ、芸能活動を始めてテレビに出演するようになり、いまでは本を出版したり講演会を開催したり……私もジャパニーズ・ドリームを叶《かな》えた外国人の一人なのかもしれません。

## ❋出版で分かる日本の可能性

日本では約二〇年にわたってデフレ不況が続き、その間、大小問わず多くの企業が倒産しました。こうして日本人はデフレマインドに侵され、以前に比べたらチャレンジする人が減っているのかもしれません。「日本には未来がない」などという人までいます。そんな話を聞くたびに、私はイライラしてしまいます。

たとえば出版業界。出版不況といわれて久しいですが、実はそう嘆いているのは、ヒット作を生み出す能力のない編集者だけなのです。年間に一〇冊以上も出版することもある私がいうのだから、間違いありません。

二〇一八年、日本では、約七万五〇〇〇冊の新刊書籍が出版されました。バブルが始まった一九八〇年代半ばは四万冊程度なので、実は倍近くに増えているわけです。一年三六五日で割ると、毎日二〇〇冊にも上ります。

当然、売れない書籍はすぐに店頭から撤去され、版元に返品されます。厳しい競争が繰り広げられているのも間違いありません。

それでも、公私ともに親しくさせていただいている作家、百田尚樹《ひゃくたなおき》氏が二〇一八年に出版した『日本国紀』（幻冬舎）の発行部数は六五万部にも上ります。また、私が二〇一七年に出版した著書『儒教に支配された中国人と韓国人の悲劇』（講談社）も五〇万部を超えています。このように、不況といわれている業界にすら大きなチャンスがある、それが日本という国なのです。

講演会などで「今後、日本はどうなりますか？」と聞いてくる人がいます。しかし、「日本はどうなるか」ではなく「日本をどうするか」が大切なのです。すべては自分の意思でなんとでもなる、そんな可能性のある国だからこそ、私はいま、日本で働いているのです。

### ❇中国が学ぶノーベル賞受賞の背景

二〇一九年一〇月、リチウムイオン電池を開発した功績が評価され、吉野彰《よしのあきら》・旭化成名誉フェローのノーベル化学賞受賞が決まりました。日本出身者のノーベル賞受賞は、アメリカ国籍の中村修二《なかむらしゅうじ》氏と南部陽一郎《なんぶよういちろう》氏、長崎市出身のカズオ・イシグロ氏を含めて二八人目となります。これは世界で五番目、当然、アジアでは首位を誇っています。

なぜ日本人にノーベル賞受賞者が多いのでしょうか。二〇一八年は本庶佑《ほんじょたすく》氏の生理学・医学賞、二〇一六年は大隅良典《おおすみよしのり》氏のやはり生理学・医学賞、二〇一五年は梶田隆章《かじたたかあき》氏の物理学賞、二〇一四年は赤﨑勇《あかさきいさむ》氏と天野浩《あまのひろし》氏、中村修二氏の同じく物理学賞……と毎年のように受賞しています。

ただ理工系の受賞者は、いまから二〇年以上前、日本の産業界が元気だった時代の研究が評価されました。ところがバブルが崩壊すると研究開発費が激減し、企業の総合研究所も廃止されていきました。そのため、今後は日本人のノーベル賞受賞者は減少するとも指摘されています。

日本の科学界は悲観すべき状況にあるのでしょうか？　それを語る前に、中国メディアによる分析を紹介します。

これまで日本が多くの受賞者を出してきた理由について、中国メディア「今日頭条《ジンリートウティアオ》」が二〇一九年一〇月に報道した記事を、中国情報サイト・サーチナが次のように紹介しています。

〈日本がノーベル賞受賞者をこれだけ多く輩出でき、日本企業が世界的に見ても高い技術力を持つのは、教育を大切にし、知識を尊重する日本の国民性や、教育者や科学者、研究者が社会的な尊敬を集める環境にあるからではないか〉

この記事が面白いのは、ノーベル賞受賞者を数多く輩出する理由は日本の紙幣を見れば分かる、と語っている点です。

二〇一九年現在、発行されている紙幣に描かれている肖像画は、一万円札は福沢諭吉《ふくざわゆきち》、五〇〇〇円札は樋口一葉《ひぐちいちよう》、一〇〇〇円札は野口英世《のぐちひでよ》と、政治家などではなく、教育家や文学者、あるいは科学者です。これについて〈日本は学問を修めた人物が尊敬を集める社会であることがわかる〉と指摘します。

宜《むべ》なるかな。たとえノーベル賞受賞者が減ったとしても、そんなことは問題ではありません。なぜならそれ以上に、世界に良い影響を与える日本人は、次から次へと生まれてくるはずなのですから。

## ＊職人たちがくれる居心地のよさ

次はジャパニーズ・ドリームに欠くことのできない日本の企業について語ります。

日本にはトヨタ自動車やソニーなど、世界に名だたる大企業があります。しかし、実際に産業を支えているのは中小企業です。

中小企業庁のデータによれば、二〇一六年の時点で、日本には約三五八万九〇〇〇もの企業がありますが、このうち大企業は一万一一五七社に過ぎません。残りの約三五七万八〇〇〇は中小企業・小規模事業者なのです。実に、日本に存在する企業全体の九九・七％を、中小企業が占めています。

また、独立行政法人中小企業基盤整備機構によると、〈中小企業全体で約三二〇〇万人の方が雇用されており、これは、日本の従業者の約七割が中小企業で雇用されている計算〉になるといいます。加えて〈中小企業の中には、世界市場の獲得につながる先端技術の活用や、地域で育まれた伝統と特性を有する多様な地域資源を活用する担い手となっている企業が多く存在〉しているのです。

要は、独自の技術と製造方法を編み出して、世界のオンリーワン企業として存在する中小企業が雲霞《うんか》のごとく存在するということでしょう。そうした企業が日本のものづくりを支えているわけです。

この点については時事通信の元記者で、現在は帝京大学冲永《おきなが》総合研究所・客員教授を務める黒崎《くろさき》誠《まこと》氏の著書『世界に冠たる中小企業』（講談社）に詳しく書かれています。たとえば大阪市に本社を置く東海バネ工業について、黒崎氏は以下のように書いています。

〈東海バネは、他のばね会社とは異なり、大量生産の注文には応じない。（略）大量生産時代を迎えた現代もなお、職人芸による一個、一個の手づくりにこだわり続け、特注品の手づくりばねのオンリーワン企業となった〉

そんな同社が担った仕事は、たとえば二〇〇三年に打ち上げられた小惑星探査機「はやぶさ」の部品。はやぶさは小惑星「イトカワ」でサンプルを採取しましたが、そのための装置（サンプラー）をはじめとするバネの製作を引き受けたのです。

また同書によれば、高さ六三四メートルを誇る世界一高い自立式電波塔の東京スカイツリーにも、同社のバネが使われているとのことです。風速一〇～一五メートル程度の風が六〇〇メートルの上空では「渦励振《うずれいしん》」と呼ばれる共振現象を起こしてしまうので、この揺れを防止するために同社のバネが採用されたのです。

当然、国内だけでなく、世界的に有名な中小企業も数多く存在します。たとえば東京・文京区にある東光舎の鋏《はさみ》は、世界的に有名なイギリスの美容師のヴィダル・サスーンに生前愛用されたことで、現在では世界中のトップスタイリストから注文が届いています。

また、兵庫県明石市にある日精ホンママシナリー。大型工作機械の専門メーカーで、同社の工作機械が新幹線の車輪の製造を担っています。

日本にはこのような、こだわりの中小企業が無数にあります。だからこそ、景気が少々悪化しても、日本は活気に溢《あふ》れているのです。

ちなみに日本は世界一の老舗《しにせ》企業大国です。二〇一六年三月二三日の「日刊ＳＰＡ！」によれば、二〇〇八年時点で世界には、二〇〇年以上の歴史を持つ企業が五五八六社あり、そのうち日本企業は三一四六社を占める。これは世界全体の五六％に当たります。二位のドイツが八三七社なので、ほかを圧倒していることが分かるでしょう。ちなみにアメリカは、たったの一四社です。

世界最古の企業も、やはり日本の大阪市に本社を構える社寺建築会社の金剛組《こんごうぐみ》。五七八年の創業です。五七八年といったら第三〇代・敏達《びだつ》天皇の時代。実に一四〇〇年以上の歴史を誇っているのです。

では、なぜ日本には老舗企業が多いのか。長寿企業づくりのコンサルティングも行うTOMAコンサルタンツグループ理事長（現・会長）の藤間秋男《とうまあきお》氏は、前掲書のなかで、以下のように語っています。

〈日本人の勤勉性があげられます。仕事に手を抜かず、一途に打ち込む国民性。「暖簾《のれん》に磨きをかける」と言いますが、社風・ブランド・商品・社員を育て、それをいい状態で次の世代に渡すことが美徳とされてきました。長寿企業に共通しているのは、「家訓」や「理念」がしっかりと受け継がれているということ。そして、後継者を育てることを大事にしてきたからこそ何代も続くことができたのです〉

日本には前記の企業だけでなく、様々な会社や業界に、優れた無数の職人がいます。だからこそ、日本は強い。

私の周りにも、書籍やテレビ番組を制作する「出版の職人」「映像の職人」、あるいは講演会を取り仕切る「イベントの職人」がいます。あるいは飲食店やショップに行けば、笑顔で応対してくれる「接客の職人」もいます。これもまた、日本に居心地のよさを感じる大きな要因だと思っています。

### ＊外国人だからチャンスがある日本

では、外国人にとっても日本はチャンスがある国なのでしょうか?

かつて外国人が起業するといえば、英会話教室でした。特に在日アメリカ人は、こぞって英会話教室を開いていました。

現在は、少子化の影響で英語を学ぶ日本人が減り、英会話教室は過当競争に陥りました。その代わり、飲食店を開業する外国人が増えているようです。お国自慢の料理をエスニック・レストランとして開業する外国人たちです。

これら以外にも、日本には、外国人にとって多くのチャンスが転がっていると思います。芸能界では国籍を問わず外国人が数多く活躍していますし、外国人の評論家もたくさんいます。

また、私の事務所がある目黒区のビルにも多くの外国人経営者がオフィスを構えています。その大半は携帯電話のアプリ開発やＩＴ関連の会社ですが、年々増えているように感じます。

それから私のアメリカ人の知人のなかには、遺体衛生保全の会社を立ち上げた人がいます。毎年、約二〇〇人のアメリカ人が日本国内で亡くなっているのですが、遺体をアメリカに輸送して土葬したいと要望する遺族もいます。ただ、輸送するには遺体に防腐剤を注入したり、消毒を施したり、衛生保全処理をしなくてはなりません。ところが三〇～四〇年前の日本には、そうしたことをしてくれる業者はありませんでした。知人は、そこにビジネスチャンスを見出《みいだ》したのです。

ちなみにこの知人は、アメリカで遺体処理の資格を持っており、日本で害虫駆除の会社を立ち上げていました。実際に遺体衛生保全の会社を立ち上げるまでには紆余《うよ》曲折《きょくせつ》があったようですが、無事に起業することができて、一時は大儲けしたようです。日本人だったら思い付かなかった仕事でしょう。

このように日本には、数多くの魅力ある企業が存在し、外国人にも大きなチャンスが転がっています。私にも大きなチャンスを与えてくれた日本――この国は、外国人にとっても、世界一の楽園なのです。

# エピローグ――今日も日本で暮らす最大の理由

私が初めて日本の土を踏んだのは一九七一年一二月。いまからおよそ五〇年前のことになります。その後の人生の約八五％、そして人生全体の六〇％以上を日本で過ごすことになるとは、当時は想像もしませんでした。

日本という国、そして日本人に魅了され続けている私ですが、好きだからという思いだけでいまも日本に留まっているわけではありません。

私の周りには、長年日本に住んでいるアメリカ人の知人がたくさんいます。同級生、後輩、宣教師時代の同僚、外資系企業に勤める人など様々です。当然、彼らも私と同様に日本に魅了されています。

ある日、そんな仲間の一人と話していたら、「なんで私たちはまだ日本にいるのだろう」という話題になったことがあります。彼も私と同じように、最初は宣教師として日本にやってきました。すでにその役割は終えているのですから、アメリカに帰国しても良いはず。しかし、彼はいまも日本にいます。その理由は、私が日本にいるのとまったく同じものでした。

「まだ自分には日本での役割がある」と考えているからです。

そして私の役割とは、「日本人が気付いていないことを広める」ことです。日本人ではないからこそいえる、あるいは、できることがあるはずなのです。

それからもう一つ。日本の正しい情報を世界に発信したいのです。

海外に情報を発信するうえで最も大きな力を持っているのは、日本外国特派員協会です。しかし、同協会には偏ったイデオロギーに塗《まみ》れた記者がたくさんいます。反日の巣窟《そうくつ》といっても良いほどです。だから、これまで中国や韓国とのあいだに抱える歴史問題についても、日本を貶《おとし》めるような情報を発信してきました。

そんな協会に所属する記者に任せておいて良いはずがない。私が真実を発信し、少しでも多くの外国人に伝えたいのです。

日本に不利な報道を続けてきたのは、英字新聞の「ジャパンタイムズ」も同じです。同紙は歴史問題で日本を糾弾《きゅうだん》してきました。たとえば二〇一四年八月、「朝日新聞」は慰安婦問題に関する誤報を認めましたが、「ジャパンタイムズ」はその後も「強制連行」「二〇万人」「性奴隷」といった表現を使い続けてきたのです。

「ジャパンタイムズ」は新聞だけでなく、自社のウェブサイトでも記事を発信しています。日々デタラメな記事を世界に届けていたのです。これについては日本を愛するアメリカ人として、看過できませんでした。

だからこそ私は、隔週で出演しているネット番組「真相深入り！虎ノ門ニュース」で同紙の記事を何度も取り上げました。「この新聞の社名はアンチジャパンタイムズとすべきだ」と訴え、ガンガン批判してきました。

すると二〇一八年秋、同紙は編集方針の転換を決断。二〇一九年一月二五日のロイター通信の記事によれば、取締役編集主幹の水野博泰《みずのひろやす》氏は〈「反日メディア」であることのレッテルをはがしたい。経営陣として『アンチジャパン（反日）タイムズ』ではとても存続できない」と説明〉したといいます。その後、同紙では反日的な記事がなくなりました。

こうした「ジャパンタイムズ」の方針転換には、私も一役買ったと自負しています。というのも、「ジャパンタイムズ」の社員が方針転換に激しく反対しているという話を聞いたので、自分のフェイスブックとツイッターのフォロアーに、方針転換を応援するメッセージを「ジャパンタイムズ」に送るように呼びかけたのです。すると多くの方々が「応援しています」「方針転換を支持します」というメッセージを送ってくれました。

先述のロイター通信の記事で水野氏は、「高いレベルの中立性を維持する」と述べていました。報道機関の基本中の基本だと思います。フェイクニュースを流している世の中の報道機関は見習うべきでしょう。

そしてこの一件により、まだまだ私には日本での役割があると再確認することができました。もし日本人が本当の日本を取り戻し、自分の役目は終わったと感じたら、そのとき私は笑顔でこの国を去ることでしょう。そして遠い海の向こうから、いつまでも日本の平和と繁栄を祈りつつ、アメリカ人として生きるのです。

最後になりますが、私の「相棒」杉本達昭《すぎもとたつあき》氏が二〇一九年六月三日に急逝《きゅうせい》しました。杉本氏は強い日本を取り戻したいと考える真の侍でした。私たちは時間さえあれば、いつも議論していたものです。時には激しい口論になったこともあります。そんな相棒がいなくなり、巨大な喪失感を覚えました。

杉本氏には一つの目標がありました。それは私と安倍晋三総理を対談させることでした。そして、その目標が二〇一九年の春に実現したのです。対談は総理公邸で行われ、杉本氏も同行してくれました。

私と安倍総理が対談していたときの、杉本氏のあの誇らしげな顔を、私は一生忘れることはないでしょう。

杉本氏はいまも天国で、日本の現状を憂《うれ》えているはずです。「日本はもう大丈夫だ」と、安心して天国で大好きなお酒を飲んでもらえる日まで、私は彼の分まで頑張るつもりです。

二〇二〇年一月

ケント・ギルバート

著者
ケント・ギルバート Kent Sidney Gilbert
1952年、アメリカ合衆国アイダホ州に生まれる。カリフォルニア州弁護士、経営学修士（MBA）、法務博士（ジュリスドクター）。1970年、ブリガムヤング大学に入学。翌1971年に宣教師として初来日。その後、国際法律事務所に就職し、企業への法律コンサルタントとして再来日。弁護士業と並行してテレビに出演。2015年、アパ日本再興財団による『第８回「真の近現代史観」懸賞論文』の最優秀藤誠志賞を受賞。著書には、2017年売上No.1新書に輝いた『儒教に支配された中国人と韓国人の悲劇』『中華思想を妄信する中国人と韓国人の悲劇』（以上、講談社＋α新書）などがある。

# 私《わたし》が日本《にほん》に住《す》み続《つづ》ける15の理由《りゆう》

2020年１月15日　第１刷発行

著　者　ケント・ギルバート
装　幀　川島 進
発行人　高橋 勉
発行所　株式会社白秋社
〒102-0072
東京都千代田区飯田橋4-4-8 朝日ビル5階
電話　03-5357-1701
発売元　星雲社（共同出版社・流通責任出版社）
〒112-0005
東京都文京区水道1-3-30
電話　03-3868-3275／FAX　03-3868-6588
印刷・製本　株式会社新藤慶昌堂


ISBN 978-4-434-26924-0